JN015231

ヒスイ継承（けいしょう）

守門和夫
SUMON KAZUO

幻冬舎MC

ヒスイ継承(けいしょう)

第1章　予兆　5

1　不思議な発明
2　ヒメの予知
3　九頭龍伝説

第2章　夏休みの自由研究　25

1　カメラアイの文字
2　悟のこと
3　研一のこと
4　ヒスイとヒメの仮説

第3章　目覚めた勇士　53

1　青山先生の失踪
2　送られてきた小包
3　異世界と四種の神器

第4章　戦いの始まり　81
1　不良と洋子
2　現れた九頭龍（くずりゅう）
3　小旅行
4　黒姫伝説（くろひめでんせつ）
5　いじめ
6　卒業

第5章　光と闇（やみ）　137
1　入学
2　地底のドーム
3　闇（やみ）の者との戦い
4　見せられた闇（やみ）の世界
5　闇（やみ）の世界のようなできごと
6　光と闇（やみ）

参考文献　191

第1章

予兆（よちょう）

1　不思議な発明

秋が深まり、イチョウの葉が輝くような黄色になった、ある土曜日の朝のことだ。川越市のカルガモ小学校三年生の星野波奈は、電話の呼び出し音で目が覚めた。

時計を見ると、まだ六時になっていない。だれも出ない。しかたないので一階に下りて、居間の電話の受話器を取り上げた。

「波奈、すごいよ！　眠っているうちに、本が読めてしまう装置を発明したよ」

「ほんと？」

「今すぐ、そっちへ行くよ」

波奈が返事をしないうちに、電話は切れてしまった。

「だれから？」

眠そうな顔をして、おかあさんが居間に入ってきた。

「おじいちゃんが来るって」

第１章　予兆

「どうしたの？」

「眠（ねむ）っているうちに、本が読める装置を、発明したんだって」

おかあさんは、首をかしげた。あまり本気にしていないみたい。

「波奈ちゃん、おはよう」

玄関（げんかん）から声が聞こえた。波奈とおかあさんが、迎（むか）えに出ると、何か箱のようなものを持ったおじいちゃんが、うれしそうにニコニコしていた。

「ほら。これだよ。すごいぞ」

おじいちゃんは箱を開けた。中から、丸くピカピカ光る、銀色のお皿の形をしたものと、緑色のメガネが出てきた。

「このお皿に本をのせて、このメガネをかけて寝（ね）ると夢の中で、本が読めるんだよ。すごいだろう」

「すごいね！」

波奈が、うれしそうに言うと、

「本当なの？」

と、おかあさんは首をかしげた。

「おっほん！」

鼻の上にちょこんとのせた小さな丸いメガネを、右手で少し上にずらして、おじいちゃんは得意そうに胸をそらせた。後ろにひっくり返ってしまいそうなほど。

「今日は用があるから、もう帰るよ。夜、寝るときに試してごらん」

おじいちゃんは忙しそうに、バタバタと帰っていった。

その日の夜、波奈はふとんに入る前に銀色のお皿をまくらもとに置いた。お皿の上にイソップ物語の絵本をのせ、緑色のメガネもかけた。

翌日の朝。おかあさんの声で、波奈は目を覚ました。

銀色のお皿の上には、イソップ物語の絵本が、ちゃんとのっていた。でも、夢さえ見なかった。

「おかあさん、おはよう」

「波奈ちゃん、おはよう」

「おじいちゃんの発明したメガネをかけて寝たけど、夢も見なかったよ」

「そう。また、失敗したのね」

この失敗のため、おじいちゃんはしばらく元気がなかった。でも、波奈は少しも心配しなかった。一週間もすれば、すぐに元気になるのだ。


次の土曜日、またおじいちゃんから電話があった。

「波奈ちゃん！　すごい発明をしたよ」

電話から、おじいちゃんの明るい元気な声が、聞こえてきた。

「今日、お出かけして、試そうよ」

「おかあさんに聞いてみるね」

おじいちゃんとの外出は、おかあさんは、いつもオーケーしてくれる。

電車に乗って出かけた。新宿（しんじゅく）駅で降りると、大勢の人がかけあしのように速く歩いていた。だれかにぶつかりそうで怖（こわ）かったけど、おじいちゃんは、波奈と手をつないでスイスイと歩いた。まるで、森の中の木をじょうずによけて歩いているみたいだ。

駅前のデパートに入った。二人はエレベーターに乗って、八階で降りた。

「波奈ちゃん、ゆかを見てごらん」

きれいなクリーム色のゆかだった。

「うずまきみたいなもよう？」

「そう。アンモナイトの化石。大昔の海で泳いでいた生き物だよ。南のあたたかい海でね」

階段近くの通路の壁(かべ)には、もっと大きなアンモナイトの化石があった。長イスに座って、おじいちゃんはリュックサックの中から、青色のメガネを二個取り出した。

「これが新しい発明品だよ。このメガネをかけて、アンモナイトの化石を見てごらん」

二人で、青色のメガネをかけた。するとあたりが、しんとして急に青くなった。

目の前には、大きなカタツムリのようなカラで、イカのような足のアンモナイトが泳いでいた。

波奈もおじいちゃんも、水の中を泳いでいた。不思議なことに、ちっとも苦しくなく、話もできた。

「すごいね、おじいちゃん」

おじいちゃんは、得意そうに胸をそらせた。水の中ならたおれる心配もない。

赤や青、黄色の魚が、たくさん泳いでいた。とてもきれいだった。海の底には、ヒトデやカニもいた。

上のほうからは、明るい光がゆらゆらさしこんでいた。

「波奈ちゃん、のぼってみよう」

光はどんどん明るくなった。水面から顔を出すと、近くに、陸地が見えた。白く輝く砂浜と、緑の森が見えた。

「行ってみよう。探検だ」

砂浜にあがると、近くに大きなシダが、たくさん並んで、森のようになっていた。道はないが、シダの下の地面は、コケでおおわれていて歩けそうだった。入り口あたりには、白い花が群れて咲き、とてもいい香りがただよっていた。

「マグノリアだ。コブシの仲間」

「さあ、森の中に入ろう！」

わくわくドキドキ。波奈はおそるおそる、シダの森に入った。コケにおおわれた地面は、フワフワとやわらかだった。しばらくすると、

「ギャー、ギャー」

近くで何かが叫んだ。

波奈が声のするほうを見ると、シダの葉のすきまから、大きなキョウリュウの背中が見えた。

「あそこよ！」

波奈が、小さな声で叫んだ。

「どこ、どこ？」

おじいちゃんも気づいたようだ。

「ティラノサウルスだ！　逃げよう！　そっと、静かにね！」

パキッ！　波奈が何かをふんづけてしまった。

ギャー。キョウリュウが叫んだ。

「気づかれた！　逃げろ！」

二人は急いだ。やっと、砂浜に出た。

「波奈ちゃん走って！　海の中に、逃げるんだ！」

すぐ後ろに、キョウリュウが迫ってきた。ドタドタ、バキバキ、ギャー。

「危ない！」

おじいちゃんが叫んだ。

キョウリュウが大きな口を開けた。するどい歯と、のどの奥が見えた。そのとき大きな波が、ざぶーんと、二人を飲みこんだ。青色のメガネがはずれた。

波奈は目をつむった。


ふと、にぎやかな話し声が聞こえてきた。

おそるおそる目を開けると、二人はデパートの階段わきの長イスに座っていた。

不思議なことに、二人ともぬれていなかった。

「波奈ちゃん。だいじょうぶかい？」

「うん」

帰りの電車の中で、波奈はグッスリ寝てしまった。

家に着くと、おかあさんが門の前で待っていた。

「楽しかった?」

波奈はおじいちゃんと顔を見合わせ、少し考えてから返事をした。

「うん。楽しかったよ」

おじいちゃんは上を見て、とぼけた顔をしていた。おかあさんは首をかしげて、ニコニコ笑った。


翌日、波奈の家に、おばあちゃんが一人で遊びにきた。

「あれ? おじいちゃんは?」

波奈がたずねると、

「ちょっとね、元気ないのよ」

おかあさんがお茶のしたくで台所に行くと、おばあちゃんは、波奈に顔を近づけて、ひそひそと小さな声で言った。

「なんだか昨日帰ってきてから元気がないのよ。昨日何かあったの?」

波奈はキョウリュウに追いかけられたことを、正直に話した。

「どうりで。そんなことがあったのね」

「ケガはなかったの？」

「うん。でも、こりごりよ」

「おじいちゃんはね、発明が大好きなのよ。でも、今まで役に立つものなんかなかったわね。お湯を凍らせるヤカン。いくらでも入るゴミ箱。雨にぬれないカサとかね」

「ヤカンはこわれたわ。ゴミ箱は三日目に爆発して、部屋中ゴミだらけになったの。カサはぬれないんだけど、人はビショビショ」

　波奈は思わず笑ってしまった。

　おかあさんが紅茶を持って、部屋に入ってきた。

「楽しそうね。なんのお話？」

「おかあさんにはひみつ。ね」

「ふふふふ。そうね」

「うん？　まあ、二人だけで何よ」

　その日は、波奈とおかあさんとおばあちゃんの三人で、買い物に行った。新しい運動ぐつを、おばあちゃんが買ってくれた。

2　ヒメの予知

一週間後、おじいちゃんから電話があった。

「波奈ちゃん、すごい発明をしたよ！　これからとなりの狭山市のひょうたん池公園に行こうよ」

ひょうたん池公園は広く、台地を湧き水が削って谷や池ができている。台地と谷底まではおよそ十メートルくらいはある。たくさんの自然が残っている。

台地の上には植物園と緑の相談所がある。

そこから五メートルほど下りると、広場がある。さらに五メートルほど下りると、小川やひょうたん池がある。

ひょうたん池のまわりには、広い野原がある。谷をはさんで反対側には、自然のままの木々の生い茂る深い森がある。

一週間前には、キョウリュウに追いかけられてこりごりしたのに、波奈は新しい発明と聞くと、やっぱりドキドキワクワク。けっきょく、おじいちゃんと出かけた。

ひょうたん池のまわりの野原は、枯(か)れ葉(は)のじゅうたんのようだった。歩くと、カサカサ音がした。

池に近づくと、カモたちが水辺から上がって、寄ってきた。

いつものように、おじいちゃんはリュックサックから、食パンを取り出した。波奈はパンを小さくちぎって、カモたちに放ってあげた。

おじいちゃんは空に向かってパンを放った。木の枝に止まっていたヒヨドリが、ツイーと飛んできて、じょうずにキャッチした。

食パンがなくなると、おじいちゃんは宣言した。

「もう、おしまい。解散」

カモたちはおしりをふりながら、ヨチヨチと池に帰っていった。おじいちゃんはリュックサックの中から、白地に緑のもようが入った小さな小石を取り出した。

「これが、新しい発明品だよ」

ニコニコしながら、波奈の手のひらに小石をのせた。すると、小石は一瞬すきとおり、まわりの風景がゆらゆらとゆれた。

どこからか美しい声が聞こえてきた。

「いらっしゃい、波奈ちゃん。星野博士、お久しぶりです」

「おお、ヒメか。元気じゃったかのお」

「星野博士もお元気そうで」

波奈にはヒメと呼ばれた者の姿は見えなかったが、だれかがいることを感じることはできた。

「波奈ちゃんも大きくなりましたね」

「そうそう。この前連れてきたのは小学校にあがる前だったからね。谷のみんなは、たっしゃかのお？」

「闇の者たちとの戦いが続いているので、なかなか大変なようです」

「そうじゃのお。人の心から、闇はなくならないからのお」

「戦いは永遠に続くのでしょうね」

心にしみとおるような声には、悲しみがこめられているようだった。

「ヒメもいずれ、戦いにもどるのでしょうな」

「はい。覚悟はしております」

「この子もじゃ」

「はい。私には見えております。波奈ちゃんが三人の勇士たちを引き連れてやって来る姿が。ふふふふふ」

「どうしたのじゃ？」

「この園内に、今、もう一人いますよ。本人は気づいていませんが、この子と三人の勇士たちの守護神となる者が。おやおや、目を丸くして、キョロキョロまわりを見回しているわ。それでは、星野博士、またお会いしましょう」

波奈は何もわからず、何も言えずに、ただ二人の会話を聞いていた。まわりの木々が、また少しゆれた。

月曜日の昼休み、波奈はぼんやりと教室の窓から外を見ていた。ひょうたん池のまわりの野原で起こったできごとを、思い出していたのだ。

（あれって、なんだったんだろう。夢かな）


ちょうどそのころ、同じ市内にあるカワセミ中学校の理科準備室で、一人の教員が外を見ていた。

名前は藤山修司。中学校の教員になって三年め。理科を教えている。

いつも、大きな体を折り曲げて、子どもたちと目を合わせ、ジョークをとばしている。子どもたちにも好かれている。

机の上には植物図鑑が開かれていたが、目は窓の外を見ていた。

ひょうたん池公園で見かけた老人と少女のことを、思い出していたのだ。

少女は小学三年生くらい。明るく、はなやかな雰囲気に包まれていた。老人は丸い小さなメガネを鼻にのせ、ニコニコとほほえんでいた。

二人はカモやヒヨドリと遊んでいたが、その後、不思議なことが起こったのだ。

二人が急に消えてしまったのだ。

第1章　予兆

一月の初めごろ、修司はまた、ひょうたん池公園に出かけた。

植物園側の入り口を通って、緑の相談所のわきに出た。視界が急に開け、五メートルほど下に広場が見えた。修司は左にある木々の間の小道を下りた。

ボケのオレンジ色の花が咲いていた。コブシのつぼみは、まだあたたかそうな毛皮に包まれていた。あたり一面、ロウバイの甘い香りがただよっていた。

ロウバイの木立の向こうには広場があった。木々の間から、広場に置かれた立方体の岩のモニュメントも見えていた。

修司は広場の手前で立ち止まった。一人の女性がモニュメントに近づいてくるのが見えたからだ。黒い長い髪が風にゆれ、一瞬であったが修司は岩に向けられた女性のきびしいまなざしを見ることができた。

その女性が手をのばし、モニュメントの岩にふれたとたん、女性の姿が消えた。修司は心の中で叫んだ。

（まただ！　目の前で、また人が消えた）

3 九頭龍伝説

修司は川越市のコブナ図書館で調べ物をしていた。ひょうたん池公園で、不思議な光景を二度も見たからだ。

手がかりはないが、ひょうたん池の上流にある小さな池の名前が気になった。九頭龍池。まず、「九頭龍」について調べることにした。調べてみると、九頭龍伝説が日本の各地にあることがわかった。言い伝えもさまざまだった。

九つの頭と龍の尾を持った巨人、大蛇、鬼などで、はじめは人々に恐れられ悪さをするが、最後は人々を守る神になって、まつられるという話が多かった。

修司は本を棚にもどして、しばらく物思いにしずんだ。ふと、心に痛みが走った。

修司は幼いころから、ときどき発作的に暴れることがあった。小学生のころは小さく、力もなかったので、それほど大きな問題にはならなかった。

中学生になると急に背がのびた。力も強くなった。でも、気が弱く、だれにでもやさしかった。

子どもの世界には、どこにでもいじめっ子がいる。転校生が入ると、えものを見つけたオオカミのように目を光らせる。

あるとき、修司は見るに見かねて、

「やめなよ！　いじめは」と、言った。

それからは、修司がいやがらせを受けるようになった。帰宅途中で待ちぶせされ、四、五人の男子から、石を投げられたこともあった。額や手から血がにじんだ。

ある日、教室の中で修司はキレてしまった。自分では覚えていない。あとで聞いた話では、急にいじめっ子になぐりかかったそうだ。先生たちがかけつけて、数人がかりでやっと止めたそうである。

小さな町だった。いじめっ子の父親はその町の有力者だった。修司は母一人子一人であった。その事件から一か月もしないうちに、その町を去った。

母はよく修司に言ったものだ。

「おまえの中には、鬼が住んでいるんだよ。その鬼がやさしいおまえをおしのけて、ときどき出てくるんだよ」

その母も、修司が夜間学部の大学三年生の秋、亡くなった。修司は世間に対し、用心深くなった。心にかたい鎧(よろい)をまとった。

第２章

夏休みの自由研究

1　カメラアイの文子

もうすぐ夏休み。カルガモ小学校の五年生になった波奈は、夏休みが大好きだ。もちろん、たくさん遊べるから。

「ねえ、波奈ちゃん。夏休みの自由研究、何にするか決めた?」

いっしょに校門から出た坂井文子が、話しかけてきた。

「ヒスイとお姫様の伝説よ」

なぜか、メガネの奥の文子の瞳が、光った。

「それってなあに?」

波奈は五月の連休に、新潟のおじいちゃんのいなかに遊びに行った。そのとき、駅の窓の外に見える越後三山の名前の書かれた地図と並んで貼られていたきれいなポスターを見た。手のひらに、少しとうめいな白と緑色のもようのある、きれいな玉を持っているお姫様を。

おじいちゃんの話では、糸魚川市というところに、ヒスイ海岸があって、ヒスイを拾えることや、お姫様の伝説があることを知った。

波奈は文子にその話を聞かせた。

「私、その話、少し知ってるわ」

「え！　どうして？」

波奈はびっくりして、文子にたずねた。

「本で読んだことがあるの」

文子は一人で静かに本を開いていることが多い。昼休み、波奈はみんなと校庭で走り回っている。ときどき、いっしょに遊ぼうと、文子に声をかけるが、顔をあげてちょっとニコッとするだけ。そんな文子と、いつ仲よくなったのか、よく覚えていない。

「松本清張の推理小説にあったわ」

「じゃま！　じゃま！　こんなところで、立ち話するなよ！」

六年生の顔見知りの男子に言われて、波奈と文子は、あわてて壁ぎわに寄った。

「ねえ、文ちゃん。二時ごろ、うちに来ない？　さっきの話も聞きたいし」

「わかった。二時ね」

校門前で、波奈と文子は別れた。二人の家は反対方向にあるのだ。文子は去っていく波奈の後ろ姿を、しばらく見ていた。


五年生になってから、文子は、自分がちょっと変わっていることに気づいた。

文子の父は電線をつくる会社の製造課の課長で、会社は都内にある。仕事をするときは制服に着がえるが、電車通勤のため背広にネクタイで出かける。残業が多く、帰宅はいつも遅(おそ)い。母は専業主婦、いつも家にいる。それほど変わった家庭とも思えない。

変わっているのは文子自身だ。

「文ちゃんて、すごいね」

仲よくなった星野波奈から言われたのだ。

「えっ?　何が?」

「すごい記憶力(きおくりょく)じゃない」

波奈に言われるまで、気がつかなかった。みんながそうだと思っていた。

「本を読んでいても、カメラみたいにカシャッ、で、一ページ分が記憶できるんでしょう」

波奈がうらやましそうに言った。でも、実はそれほどたいしたことじゃないのだ。カシャッで覚えることができても、内容が理解できているわけじゃない。記憶と理解は別なのだ。

波奈のほうがよっぽどいい。明るくだれとでも話ができる。私はダメ。いつも一人で静かに本を読んでいる。

本は大好きだ。とくに物語。読んでいるとまるで頭の中は映画館。退屈しない。中学二年生の兄はそんな文子にあきれている。

「よく、こんな天気のいい日に、家にいられるよな。モヤシになっちゃうぞ」

父も母も心配するのだ。うるさいので、休みの日はコブナ図書館で過ごす。

図書館に行くと、同じクラスの男子二人をよく見かける。いつも二人でいる。話したことはないが、名前は知っている。宮川研一と西森悟。

研一は歴史、悟は科学の本が並ぶ棚から本を抜いて立ち読みしている。

二人は図書館で静かにしている。それはあたりまえ。ところが教室でも、二人だけで静かに話している。

クラスのらんぼう者やそのとりまきたちも、二人にはかまわない。ほっておかれている。変な二人なのだ。

そういう文子も、話しかけてくるのは、波奈だけだ。ほかの人のことは言えない。静かに本を読んでいる。と、ほかの人は思っているようだ。

でも頭の中は、物語でいっぱい。ワクワク、ドキドキ。泣いたり、笑ったりしているのだ。

この前、自分の部屋にこもって本を読んでいたらおかあさんが、あきらめたような表情で、

「文ちゃんて、おかあさんのおばあちゃんに、似たのかもね。語り部だったから」

「語り部って?」

「昔の話を語って聞かせる人よ」

波奈は家に帰ると、玄関の鍵をカバンから出した。いつものことだ。おかあさんは小学校の先生。日曜日でさえ、クラブ活動のお仕事なのだ。ふつうの小学校のクラブ活動なら、休みの日には活動もお休みなのに、おかあさんの勤めている小学校の吹奏楽クラブだけ、

休みの日でも練習があるのだ。熱心な活動が地域にも知られ、地域の行事にも招待されて演奏している。保護者も熱心で、おかあさんを休ませてくれない。

おとうさんも同じ市内の小学校の先生で、美術クラブを担当している。おとうさんは休みの日は休みなのだが、一人で美術館めぐり。それも朝早くから夕方遅(おそ)くまで。

波奈は、自分が一人ほっておかれているように感じる。でも、近くに住んでいるおじいちゃんとおばあちゃんが、いろいろなところに連れて行ってくれるので、さびしくはない。

約束どおり二時少し前、文子が波奈の家を訪れた。波奈の部屋に入ると、バッグから一冊の本を取り出した。

コブナ図書館のシールが貼(は)ってあった。本の間に、しおりがはさまれていた。

「これ、松本清張(まつもとせいちょう)の『万葉翡翠(まんようひすい)』という短編なの。ここから少し読んでみて」

文子は本を開いて、テーブルの上に置いた。

難しい漢字や、古い文字が並んでいた。古事記(こじき)、沼河比売(ぬなかわひめ)、勾玉(まがたま)、翡翠(ひすい)などの言葉が並んでいた。

本から目を離した波奈は、少し考えこんでしまった。

文子が心配そうにして、波奈の顔をのぞきこんだ。

「どうしたの?」

「うーん。ちょっと、いや、かなり難しそう。私には無理かな? でもやっぱり、調べてみたいな」

文子が窓の外を見ながら言った。

「思いついたことがあるんだけど」

「なに?」

「グループ研究にしたらどう? 担任の青山みどり先生も、自由研究はグループでもいいって言ってたし」

「うん、いいね。でも、だれかいる?」

「コブナ図書館で同じクラスの男子をよく見かけるの。話したことはないけど、いつも二人で来てるのよ」

「だれ?」

「宮川研一くんと西森悟くん」

「知ってるわ。いつも二人でいて、あんまりほかの人たちと遊ばない子ね」

「研一くんはね、歴史が好きみたい。悟くんはね、理科が好きみたい」

「文ちゃん、どうしてそんなこと知ってるの？」

「図書館で、二人がよく見ている本棚（ほんだな）を見れば、だいたいわかるわよ」

「なるほどね？　でも驚（おどろ）き！」

「ヒスイは悟くん、古事記（こじき）は研一くん、波奈ちゃんと私は、二人でヌナカワヒメの伝説を調べればいいいんじゃない」

　文子はすました顔で言った。波奈は文子の顔をまじまじと見つめた。


　翌日、二人でコブナ図書館に行った。

「二人ともいたわよ。あそこ」

　文子が声をひそめて、言った。

　研一と悟は、学習コーナーで並んで、本を読んでいた。波奈は音をたてないように近づき、二人の後ろに立った。文子が軽く指先でつつくのを、背中に感じた。

悟がふり向いた。声は出さなかったが、驚いたようだ。ようやく聞きとれるくらいの声を出した。

「なんだよ！」

研一も気づいたのか、無言でふり向いた。メガネを少し持ち上げ、めいわくそうな顔をした。

文子が何も言わずにサッと、研一と悟の間に松本清張の本を開いたまま置いた。文子の動きがあまりに素早かったので、つられて二人とも、読みはじめた。

図書館の中でおしゃべりをしている人は、だれもいない。波奈はノートにメモした。

「夏休みの自由研究を、四人でいっしょにやらない？　テーマは『ヒスイとヌナカワヒメの伝説』」

波奈は、研一と悟が本から顔を上げるまで待った。悟が右手でページをめくっていた。

二人がほとんど同時に顔を上げたので、波奈は本の上に開いたノートを重ねた。二人は無言でメモを読むと、顔を見合わせた。

悟がエンピツで、波奈のメモのとなりに、「いいよ」と、書いた。

二人は話しあったわけではない。よほど気持ちが通じあうようだ。波奈はひどく感心しながら、急いでノートに書きたした。

「急で悪いけど、これからうちに来ない？　打ち合わせをしたいから。外の自転車置き場で待ってる」

波奈は二人の返事を待たずに、さっさと図書館の出口に向かった。あわてて文子も波奈を追いかけた。

波奈が興奮をおさえきれずに言った。

「ああ、緊張(きんちょう)した！」

文子もホッとしたようだ。

「どうなるかと思ったわ。でも、うまくいったわね」

まもなく研一と悟が、自転車置き場に現れた。悟が言った。

「先に行けよ。オレたち、少し離(はな)れてついて行くから」

「わかった。ついてきてね」

波奈が玄関のドアを開けると、三人ともほとんど同時に声を出した。

「こんにちは。おじゃまします」

「今、だれもいないの。おとうさんもおかあさんもまだ仕事よ。けっこう忙しいみたい」

波奈は三人を自分の部屋に案内した。小さな丸いテーブルがあり、小さなイスもある。

部屋の棚には、波奈のおじいちゃんが作った発明品が並んでいる。悟と研一は興味深そうに、しばらく部屋の中を見回していた。みんなが座ると、悟が波奈と文子を見た。

「グループ研究、おもしろそうだからいっしょにやるけど、二つだけ条件があるんだ」

「なに？」波奈がたずねると、

「学校では、オレたちに話しかけないこと」

悟の言葉に波奈がポカンとすると、研一が言った。

「照れくさいんだ。みんなの前で女子と話すなんて。男子のヤッカミも気をつけなきゃいけないし」

「わかったわ」と、波奈が答えると、文子もいっしょにうなずいた。

「もう一つは？」

「それは、自由研究が終わってから話す」

文子もしかたないという顔をしたので、

「わかったわ。いいわよ」と、言った。

打ち合わせを始めると、話は早かった。研一と悟のカンはよかった。文子に読まされた本と研究のテーマから、自分たちの役割を、もう理解していたようだ。悟が言った。

「オレがヒスイのことを調べて、研ちゃんが古事記を調べればいいんだろ」

波奈は驚き、感心して文子と顔を見合わせた。打ち合わせは、またたくまにすんだ。

最後に確認したことは、夏休み中の『八』のつく日の午後二時に、波奈の家に集まること。それまでに調べたことを、報告しあうこと。次回は七月二十八日。確認が終わると、研一と悟はすぐに帰った。

波奈があきれたように、口を開いた。

「驚いたわね。あのヘンな二人、優秀なんだね、知らなかったわ」

文子もうなずいた。

2　悟のこと

悟の家は農家だ。畑で草とりをしながら、コブナ図書館でのできごとを、思い出していた。波奈は明るく活発で、だれとでも仲よくしている。文子はいつも一人で静かに本を読んでいる。

生活班でも係の班でも、二人といっしょになったことはない。だから悟は、二人と一度も話をしたことがなかった。

それが突然、向こうから話しかけてきたのだ。ノートのメモにも驚（おどろ）いた。グループ研究へのさそいだった。ところが、あの難しい性格の研一が、なんと目でオーケーしていたのだ。

草とりは単純作業だ。でも悟はきらいではない。一人でもくもくと作業をしていると、いろいろなことに思いがめぐる。今も急に、小さいころのできごとが心にうかんだ。

思い出されるのはあたり一面緑一色の風景。悟はかごの中に入れられていた。まだ歩くこともできなかった悟は、だれかが迎（むか）えに来てくれることを待つしかなかった。

悟の父も母も農作業中。大きな鳥が近づいてきた。そして悟の顔をジロジロ見た。くちばしでつつかれると思った。怖(こわ)かったが泣かなかったような気がする。

場面が変わった。やっぱりかごに入れられていた。こんどは小屋の中だ。でも自分で好きで入っていたわけじゃない。

鳥のときより、もっと怖(こわ)かった。小屋の天井からヘビがぶらさがって、悟の顔をジロジロ見た。ゾッとした。泣き叫(さけ)んだかどうかは記憶(きおく)にない。

今思い出すと、鳥はキジ、ヘビはアオダイショウだったと思う。マムシだったとは思いたくない。記憶(きおく)にくっつく恐怖感(きょうふかん)が、もっと大きくなってしまう。それはかんべんしてほしい。

悟の好きな教科は理科。当然だと思う。小さいころから、自然の中で育ったのだから。トンボだって、チョウだって悟のまわりを飛び回っていた。春はタンポポやスミレ。夏はトウモロコシやエダマメ。秋はカキやクリ。冬はマガモやヒドリガモがやって来る。

これで、自然がきらいだったら生きていけないじゃないか。遊び相手は自然。だから学校はあんまり好きじゃない。遊び相手はいない。そうだ、一人だけいた。宮川研一だ。

ここで、考えがグループ研究のことにもどった。ヒスイについては、前から知っている。とてもかたい、白地に青、緑、紫などの色がにじむ、とうめい感のある美しい石だ。

さっそく歴史の中のヒスイの役割について、調べはじめようと思った。

3 研一のこと

研一の父は、東京都内にある書店で働いている。大きなチェーン店の一つだ。彼は店長としてそろえる本の種類や質にも、こだわりがあった。特に歴史関係の本が多く、めずらしい本がラジオでも紹介されたことがあるそうだ。

書店は午前九時から、午後九時まで営業している。そのため、勤務時間は三部制になっている。早番は八時半から五時半まで、中番は十一時から午後八時まで、遅番は午後一時から午後十時までだ。

研一の父はほとんど遅番で、土・日はほとんど出勤している。休みがないわけではない。平日に休みをとっている。お店で働く人たちの希望は早番と土・日の休みが多い。店長ともなると、どうしても従業員の希望を優先しなければいけないようだ。研一の母がそう教えてくれた。

だから研一は父と顔を合わせることが少ない。そのことと自分の性格が、関係しているのかどうかはわからないが、一人遊びが好きだ。

研一は父の書斎（しょさい）に入ることを禁じられていた。小さいころ、父の本棚（ほんだな）から本を抜（ぬ）いて落としては喜ぶので、それ以来、入室を禁じられたようである。もちろん研一は、そんなことを覚えていない。記憶（きおく）にある限り、入室が禁じられていた。

ところが夏休みのグループ研究のことを父に話すと、急に入室が許可された。条件付きだったが。条件は借り出しノートに、書名と借り出した日付を記入することだった。もちろん返した日付も。

父の書斎（しょさい）は研一にとって宝の山だった。ずらりと歴史関係の本が並んでいた。

借り出しノートの最初の一行に『古事記（こじき）』と、記した。現代語訳の文庫本だった。

自分の部屋ですぐに読みはじめたが、難しかった。学校で教わってない漢字は多いし、意味もよくわからない。特に人物の名前や関係がわかりにくいし、覚えにくい。指先で文字をたどったり、ノートにメモしながら読み進めた。研一の好きなことだから、難しくても、おもしろかった。

4　ヒスイとヒメの仮説

波奈の部屋で、波奈と文子はパソコンの画面を見つめていた。

「ヌナカワヒメ」で調べたら、いくつもあった。波奈がつぶやいた。

「ヌナカワヒメの伝説って、一つじゃないのね。いろいろな説があるわ」

「ほんと。出雲（いずも）の神オオクニヌシノミコトが、かしこく美しいと評判の高い越（こし）の国のヌナカワヒメに求婚（きゅうこん）するのは、どれも同じね。オオクニヌシノミコトが、越（こし）の土地の神と戦う話もあれば、どちらが先にヌナカワヒメの家に着くか、牛と馬に乗って競走する、というのもあるわね。能登（のと）で二人は暮らしはじめるけど、ヌナカワヒメがすぐ逃げてしまうというのもあるわね」

ため息をつく波奈を、文子はなぐさめた。

「次に、みんなに会うまでに、今日調べたことを、表にしておくわ」

七月二十八日は、もうれつに暑かった。テレビのニュースでも、記録的な暑さという言葉が、毎日使われていた。

波奈は朝から部屋のエアコンをかけっぱなしにした。おとうさんもおかあさんも仕事に出かけた。

「こんにちは」

文子の声が、玄関から聞こえてきた。続いて、自転車のブレーキをかける音と、男子の声が聞こえてきた。部屋に入ると、三人ともうれしそうに言った。

「涼しい！　最高！」

急に、にぎやかになった。

「ちょっと休んだら、すぐ始めるからね」

波奈が声をかけた。

「わかった。わかった」

悟と研一がくつろいでいる。二人は、学校では私たちと目も合わせないのに。

波奈は一つの提案をした。

「私たちのグループに名前をつけない?」

悟が気楽な感じで応じた。

「ナンデモいいよ」

文子が笑いながら言った。

「そうね。それでいいんじゃない。『ナンデモ研究会』なんてどう?」

波奈はちょっと驚(おどろ)いた。いつものひかえめな感じの文子じゃなかった。

けっきょく、それに決まった。

「ナンデモ研究会、いいね。さっそく始めようよ」

悟が言うと、文子が用意してきた一枚の紙を、三人の前に置いた。読みおわると、悟が首をかしげた。

「なぜ、いっしょに暮らしはじめた能登(のと)で、ヌナカワヒメは逃(に)げてしまったのかな?」

研一がメガネのふちに指をかけて、言った。

「古事記の担当者として、ぼくの推理はあるよ。あらためて古事記を読んで考えてみたことなんだけどね」

まるで、探偵のようだ。

「出雲の国にいた、オオクニヌシノミコトの奥さんのせいだと思う。スセリビメという名前で、古事記によると、すごいヤキモチヤキだったらしい」

悟がまた言った。

「ほかにも、疑問があるんだよ」

「なに？」波奈はたずねた。

「ヒスイはすごくかたいんだ。マガタマって、知ってる？」

「昔の人が、首にかけていたかざりに使われているやつね」

「そう。あれにヒスイも使われているんだ」

文子が首をかしげた。

「かたいのにどうやって、加工したの？」

「そう。それが不思議」

「ぼくも気になったことがあるんだ」

こんどは、研一だ。

「古事記に書かれている神話って、本当にあったことなのかな？」

文子が続けた。

「ヌナカワヒメの伝説だってそうよ。本当にあったことなのかしら？　もし、モデルがいるとすれば、いつの時代の人なの？」

研一が答えた。

「わからない。言い伝えだからね」

波奈が口をはさんだ。

「何か手がかりはないの？」

「うーん。学者も研究してるんだろうけどね。決まった説はなさそうだね。そうそう、父に聞いたんだけど、今、上野の東京国立博物館で『縄文展』をやってるんだって。行ってみる？」

みんな賛成した。八月八日の午前十時に、上野で会うことになった。

上野の博物館前は人であふれていた。会場に入ったとたん、波奈はびっくりした。

なにこれ！　縄文人って、ウサギをとったり、ドングリを拾ったり、小さな小屋で、原始的な生活をしていたと思いこんでいたのに。

研一の目も驚きで大きく開いていた。

文子も悟も同じだった。

四人とも、小さなノートをバッグから出して、ボールペンでメモをとりはじめた。

いきなり監視員さんに声をかけられた。

「ボールペンを使わないで、これを使ってください」

監視員さんは短く平たいエンピツを、波奈たち四人に渡してくれた。博物館では展示品を汚してしまうおそれのある、ボールペンや万年筆、シャープペンシルなどは使えないことになっていることを知った。

ひどい混雑だったが、立ち止まってメモをとる波奈たちを、みんなじょうずによけてくれた。

およそ一万年間の縄文時代の生活のようすと、遺跡から発見されたものが展示されていた。

ヒスイのマガタマもあった。きれいに丸い穴が開けられていた。

図鑑で見たことのある、火焔型土器や縄文のビーナスもあった。


八月十八日、あいかわらず暑かった。

文子の発言で、ナンデモ研究会が始まった。

「前の研究会で、いくつか疑問点があったよね。ちょっと整理しない？」

文子は、学校ではいつも静かにしているが、研究会では別人のようになる。

「一つは、かたいヒスイを、どうやって加工したのか？」

悟が答えると、研一もノートを開きながら目を上げた。

「古事記の神話やヌナカワヒメの伝説は、本当にあったことなのか？　それはいつの時代か？」

悟が話しはじめた。

「ヒスイの加工だけど、砥石みたいな石でけずって、形をつくって、みがいたみたい。穴はキリみたいな道具と研磨剤を使ったみたいだよ」

「ねえ、ヒスイはどうやって全国に運ばれたのかしら？」

文子が首をかしげた。

「丸木舟を使ったりしたんだろうね。ニュースで見たことがあるよ。縄文時代の丸木舟はけっこう発見されていて、広い範囲で物流が行われていたみたいだね」

悟が言うと、

「運ぶ専門の人たちが、いたんじゃないかな」

研一が一つの仮説を述べた。

「そういえば、縄文展で、貝の腕輪があったよね。南の海でしかとれない貝がらが、内陸奥深くの遺跡でも出てるのよね」

波奈が話すと、文子がまとめた。

「いろいろな物が、海や川や陸の道を通って、日本中に運ばれているのね。それも一万年も前から」

研一が急に話題を変えた。

「ヒミコって知ってる？」

「神秘的な力を持つミコ。そして女王だった人よね」

文子が答えると、

「そう、越の国のヌナカワヒメもヒミコのような人だったと思うんだ。それも、縄文時代から代々いて、神話のヌナカワヒメのモデルになったんじゃないのかな」

いつのまにか、時間が過ぎていた。

文子がしめくくった。

「おもしろそうね。今日までのことは、私が次までにまとめてくるわ」


八月二十八日。文子がホチキスで留めた数枚の紙を、みんなに配った。

「すごいね。よくまとまっている。これじゃあ、ナンデモ研究会の話しあいが終わると同時に、自由研究のレポートができあがっちゃうよ」

悟がびっくりしたように声をあげると、文子はこともなげに、バッグからノートパソコンを取り出して、テーブルの上に置いた。

「もう時間がないからね。今日は話しあいながら、同時にパソコンを打つわ。さあ、始めて」

驚(おどろ)いているみんなに、文子はさいそくした。

熱心な話しあいが続いた。

いつのまにか窓の外が、暗くなりはじめていた。

文子がパソコンから顔を上げて言った。

「オーケー。ほぼできあがったわ。あとは四人の名前を書いて印刷。波奈ちゃん、代表して青山先生に提出してくれる？」

悟と研一が顔を見合わせて、悟が言った。

「自由研究を始める前に、条件を出したこと覚えてる？」

波奈も文子も、声を合わせて返事をした。

「ええ。覚えているわ。二つ目は何？」

「四人の名前を書いて、提出するのはいいんだけど、みんなに発表するとか、掲示(けいじ)するときには、波奈ちゃんと文ちゃんの名前だけにしてほしいんだ」

研一も口を開いた。

「グループ研究で名前が出されると、よけいなゴタゴタが起きるんだ。な、悟くん」

「そう、男子の嫉妬(しっと)もバカにできないんだ。今の平和のバランスがくずれてしまうんだ。でも、いっしょに自由研究ができて、楽しかったよ。オレたちからの提案。ナンデモ研究会は、これからも続けようよ」

四人は、夏休みが終わっても、毎月第一日曜日にナンデモ研究会を開くことを約束して、解散した。

第 3 章

目覚めた勇士

1　青山先生の失踪(しっそう)

二学期が始まった。波奈(はな)は職員室にいって自由研究を青山(あおやま)先生に直接提出した。もちろん悟(さとる)と研一(けんいち)に頼(たの)まれたことは伝えた。

青山先生はレポートの表紙に書かれた四人の名前を見て、「ふーん」と、声を出した。

「よく研一くんと悟くんを、グループ研究に引き入れたわね」

意外そうだったが、感心しているようすだった。

「波奈ちゃんがさそったの？」

「声をかけたのは私ですけど、文(ふみ)ちゃんが、二人を候補にあげたんです」

「波奈ちゃんもそうだけど、文ちゃんとあの二人が、教室で話しているのを見たことがないわ」

「コブナ図書館で、文ちゃんはよく二人を見かけていたそうです」

「なるほどね。わかったわ」

青山先生は自由研究のレポートを二、三枚めくりながら目を通すと、顔を上げて言った。

「わかりました。二人の名前は出さないでおきましょう。おもしろそうな研究ね。あとでじっくり読んでみます。ところで、ナンデモ研究会は解散したの？」

「いいえ。これからも続ける予定です」

「それはいいことね。じゃ、この研究も続けることになるのね？」

「はい」

「それでは研究の続編も、必ず見せてくださいね。楽しみにしてるわ」

教室にもどると、悟と研一を見かけたが、一学期と同じだった。目を合わせもしなかった。ほかの人たちは、久しぶりに会うので、興奮して、さわがしかった。

悟と研一は二人だけで、もの静かに話していた。文子（ふみこ）は一人で静かに本を読んでいた。

教員六年目の春、藤山修司（ふじやましゅうじ）は同じ市内のカルガモ小学校に異動した。

カルガモ小学校では、五・六年生は、クラス替（が）えがなく、担任も代わらない、と聞いていた。

ところが五年一組の担任が都合により退職。修司が新六年一組を引きつぐことになった。

始業式までに準備をしなければいけないことが、山のようにあった。

アルバムを見て、修司は驚いた。ひょうたん池公園の広場で消えた、あの女性がいた。担任、青山みどり。それだけじゃなかった。あの老人といっしょに消えた少女もいた。見かけたのは三年前。もちろんずいぶん成長している。が、すぐわかった。名前は星野波奈。

またたくまに、始業式を迎えた。教職員の紹介と担任発表があった。歓声やどよめきが聞こえた。六年一組の担任発表では、修司は「えっ！」という驚きと沈黙で迎えられた。

これはしょうがない。青山みどりになじんだクラスだったのだろうから。ここは教員歴六年目の経験と、持ち前の大きな体と包容力で乗りきるしかない。初日から誠意とユーモアと熱意を持って子どもたちに接した。こうして子どもたちからも好かれ、受け入れられた。四月に開かれた最初の保護者会も無事終えた。

四月の最終金曜日に離任式が行われた。人事異動でカルガモ小学校を去った教職員が、子どもたちに別れを告げる日だ。修司は青山みどりに会えることを楽しみにしていた。あの不思議な光景についての手がかりを、つかむことができるかもしれない。

離任式がスタートした。吹奏楽クラブの子どもたちの演奏が始まると、校長の案内で、異動した教職員が、体育館に入場してきた。修司はぼうぜんとした。青山みどりの姿がなかったのだ。

式の終了後、修司が教室に入っても、静かなざわめきが消えなかった。一人の子どもが手をあげた。

「先生！　どうして青山先生は来なかったんですか？」

別の子どもからも聞かれた。

「青山先生はどこに行ったんですか？」

修司は答えられなかった。

学級活動終了後、修司はすぐに校長室に向かった。ドアをノックした。

「どうぞ」

「失礼します」

「どうかしましたか？　藤山先生」

「青山先生は、なぜお見えにならなかったのですか？」

校長の顔がくもった。

「わからないんだよ。どうやっても連絡がとれないんだ。でも、退職に必要な書類は、すべて届けられ、手続き上はまったく問題なし。ただ本人の消息は不明」

これじゃ、子どもたちに説明できない。

五月の第一日曜日、ナンデモ研究会が開催された。当然、テーマは「青山先生のゆくえ」であったが、手がかりは何もなかった。

悟がため息をつきながら言った。

「青山先生はどこへ行っちゃったのかな？　もう、会えないのかな？　青山先生に、研究の続編を読んでほしかったよな」

文子もうなずきながら、

「そうよね。青山先生に読んでほしくて、研究を続けてきたような気もするわ。縄文海人の部族の一部が、丸木舟の材料確保と舟の製造のため、大きな川の源流地域に移り住んだという仮説もたてたのに」

研一があとをつなげた。

「ヌナカワヒメとオオクニヌシノミコトの子どもタケミナカタと縄文海人の部族の姫ヤサカトメノカミは夫婦で、二人は各地の諏訪神社にまつられている。このことは越の国と縄文海人の強い結びつきを表しているのではないかという仮説もたてたよね」

悟がまた口を開いた。

「越の国は豊かな縄文の文化を発展させたけれど、青銅器や鉄器の文化に追われ、ヒスイ加工技術者集団は散りぢりになった」

波奈は青山先生に自由研究を提出したときのことを思い出して、三人に話した。

「青山先生に自由研究を提出したとき、『ナンデモ研究会は解散したの？』って、聞かれたのよ」

文子が先をうながした。

「それで、なんて答えたの？」

「いいえ。これからも続ける予定ですって、答えたわ」

「そしたら？」

「そしたらね『それはいいことね。じゃ、この研究も続けることになるのね？』って、言われたの」

「それで？」

「はい、って、返事をしたわ」

「それで終わり？」

「いや、ちょっと待って、思い出したわ」

「えーとね……『それでは研究の続編も、必ず見せてくださいね。楽しみにしてるわ』だったわ」

　悟が目を輝（かがや）かせた。

「それって、大きな手がかりじゃない？　一つは、必ずオレたちは、青山先生に、また会えるってこと」

　いつも冷静な研一が、興奮ぎみに言った。

「もう一つは、ぼくたちの研究がひょっとしたら、青山先生が消えたことにつながっているかもしれないということ。どう？」

　波奈は心の奥（おく）で、何かがカチッと鳴ったように感じた。

（そう、小さいころ不思議なことがいろいろとあったわ。それも、ひょうたん池公園が多かったような気がする）

「ねえ、みんな。六月の定例会はひょうたん池公園に行ってみない？」

2　送られてきた小包

五月の連休があけて、再び子どもたちが登校してきた。子どもたちは、連休中に気持ちの整理をつけたのか、クラスの中に活気がもどった。

放課後、修司は子どもたちの元気なようすにほっとしながら、翌日の授業の準備にとりかかった。そのとき、理科準備室のドアがノックされた。

事務の石川直子（いしかわなおこ）が、ドアを開けて入ってきた。直子はかかえていたうす緑色の封筒（ふうとう）と一冊のファイルを、修司の机の上に置いた。

「青山先生から小包が届けられました。学校あてに送られてきたので、開けてしまいましたが、藤山先生あてのようです」

修司は驚いた。しかし、表情には出さず、お礼を言った。

直子が去ると、修司はうす緑色の封筒を開け、折りたたまれている手紙を開いた。のびのびとした濃い黒い字で書かれていた。


「初めまして、青山みどりです。いや、初めてではありませんね、ひょうたん池公園でお会いしましたね。

私は太古の昔から続いている戦いに、呼びもどされました。六年一組の子どもたちには、申し訳なく思っています。でも、藤山先生が受け持たれるはずですから、心配はしていません。

特に星野波奈、坂井文子、西森悟、宮川研一は、私とともに戦う者たちです。もちろん、本人たちはそのことをまったく知りません。

藤山先生も、私たちとともに戦いに加わります。あの子たちの守護神として。いずれお会いしましょう」

やはりあの不思議な光景は、夢じゃなかったのだ。手紙に書かれていることは信じがたい内容であったが。修司は、なぜか素直に受け入れた。

ファイルを開いた。夏休みの自由研究の報告書だった。

タイトルは『古代史のなぞにチャレンジ〜ヒスイとヌナカワヒメの伝説〜』だった。グループ名は『ナンデモ研究会』、メンバーは星野波奈、坂井文子、西森悟、宮川研一だった。

参考資料は『古事記』『ヌナカワヒメの伝説』『ヒスイ発見の歴史（糸魚川市の作成した資料）』ほか。

報告書の内容をまとめてみよう。

……ナンデモ研究会の、最もユニークな考えは、およそ一万年続いた縄文時代に注目したこと。

糸魚川付近でしかとれない質の良いヒスイ、高度な加工技術、マガタマや大珠が、縄文、弥生、古墳時代の遺跡から、たくさん出てくること。それも日本全国から。

およそ一万年前には、日本中に海の道、陸の道が開かれていたという仮説。

縄文海人が運んだという仮説。

ヒスイ加工の技術者集団をかかえた越の国が、豊かな財力、強大な軍事力、高度な文化を持っていたという仮説。

ヒスイ加工の技術者集団は、祈りを司るミコをひきいていた。ミコは代々ヌナカワヒメと呼ばれており、古事記に登場するヌナカワヒメのモデルとなったという仮説など……。

(こんなところかな。とても小学生のレベルじゃあないな。このレポートはすごい。これが送られてきたということは、あの不思議な光景の謎をとく手がかりが、この研究に含まれているのかもしれない)

連休後の第二土曜日から日曜日にかけて、波奈は両親と新潟を訪れた。

今年は連休中、両親ともに教え子の結婚式やクラブ活動などがあって、新潟に行けなかった。だから、毎年恒例の山菜とりができなかったのだ。

波奈も両親も、山菜とりが大好きだ。この季節に、新潟に行かないとストレスがたまる。

土・日の一泊二日のあわただしい日程であったが、それぞれが都合をつけた。

土曜日は朝五時に起きた。朝食は車の中ですました。波奈は眠かったが、気持ちはたかぶっていた。

おとうさんは運転しながら、おかあさんからおにぎりを受け取り、食べおわると、おかあさんは手ぎわよくおしぼりをおとうさんに渡していた。二人ともうれしそうだった。

午前八時には関越トンネルを抜けた。季節が二週間ぐらい前にもどった気がした。まだ雪が残っていて、木々の芽もつぼみのまま。

波奈が思わず口にした。

「いいなー、タイムマシンで時間を逆もどりしたみたい」

おとうさんも楽しそうに言った。

「そのとおり。この車はタイムマシンです」

おかあさんもニコニコしながら言った。

「二人ともはしゃいじゃって。山菜とりに興奮するなんて、まるで縄文人みたいね」

おとうさんはおごそかな口調で言った。

「そうです。私たちには、縄文人の血が流れているのです」

おとうさんはさらにおしゃべりになった。右手でハンドルを操作しながら、左手でバッグの中から一枚の写真を取り出した。

「見なさい。芸術家の岡本太郎が価値を再発見した火焔型土器。日本の原始美術を代表する美。エネルギーに満ちあふれてるじゃないか。エネルギーそのものだ。越の縄文人のエネルギーだ」

おかあさんが笑いながらとめた。

「わかったわよ。おしゃべりもいいけど、安全運転でお願いします」

おとうさんも笑っていた。

小出インターチェンジで、高速道路を降りて、十七号線を新潟方面に向かった。小出市街をしばらく走り、途中で右折して谷川沿いの道に入った。右手には八海山、中ノ岳、越後駒ヶ岳からなる越後三山をふくむ越後山脈が並び、まだ残雪におおわれていた。いくつかの集落を越え、峠を登ると深い山々に囲まれた鏡ヶ池が、深い青緑色の水をたたえていた。白い雪とブナの新緑のコントラストが美しい。峠を下りた谷間におじいちゃんの家がある。

おじいちゃんは満面に笑みをうかべて、三人を迎えた。座る間もなく着替えをすませて、山菜とりに出かけた。まだ午前九時三十七分だった。

おじいちゃんの田んぼは沢沿（さわぞ）いにあった。まだ残雪が、ところどころ川をおおっていた。沢（さわ）をはさんで田んぼの反対側は、けわしい岩の斜面（しゃめん）だった。長い年月をへて、草木が生え、岩の上に土をとどめていた。

そんな場所がゼンマイの生育には適していると、おじいちゃんから教わった。

「みんなは危ないから、下のほうでとっているんだよ」

おじいちゃんは木の枝をたくみに使いながら、急斜面（きゅうしゃめん）を登っていった。おじいちゃんはときどき下に下りてきた。リュックサックにいっぱいになったゼンマイを、車のトランクに移すと、また、谷の斜面（しゃめん）を登っていった。

おかあさんは谷川沿いに生えているゼンマイをとった。おとうさんは少し上まで登った。波奈はおとうさんより高いところまで登った。両親より身軽だから。アスレチックのように楽しめた。

「おおーい。そろそろ帰るよ。下りておいで」

おじいちゃんの声が谷間にひびいた。

波奈は気をつけながら、谷の斜面を下りた。登るときより下りるときのほうが危ないと、おじいちゃんに教わったから。

とったゼンマイの重さが、自分の重さに加わっている。手足の筋肉も疲労していた。気をつけていたつもりだったが、波奈はすべった。

でも、幸運だった。もう少しで谷底へ落下、と思ったときに、何かが波奈を受け止めた。それはやわらかだった。次の瞬間、波奈は右手で、しなやかな木の枝につかまっていた。

無事に車にたどり着いた。おじいちゃんにも両親にも、危険な目にあったことは話さなかった。心配をかけたくなかったから。

車に乗ろうとして、ふと道のかたわらにひっそり置かれている石のほこらに、波奈の目がとまった。来たときには気がつかなかった。

「おじいちゃん、これなあに？」

「山の神様だよ。私たちが山で仕事をするときに、守ってくれるんだよ」

「ふーん」

波奈は黙ったまま、心の中でお礼を言った。

楽しいひとときが過ぎるのは早い。もう帰る日だ。といっても、一泊二日(いっぱくふつか)のお出かけだ。早いのはあたりまえだ。

帰り道、峠(とうげ)の頂(いただき)の鏡ヶ池(かがみがいけ)を、車の窓から見た。水面からは、静かに深緑色のエネルギーが立ちのぼっていた。

途中(とちゅう)、上り坂の上の交差点で、車が止まったとき、後ろをふりかえると、守門岳(すもんだけ)が見えた。すぐとなりの黒姫山(くろひめやま)に、見つめられているように感じた。

立ち寄ったコンビニの駐車場(ちゅうしゃじょう)からは、八海山(はっかいさん)が見えた。山頂のギザギザのするどい峰々(みねみね)からも、青白いエネルギーが、天に向かって放たれていた。

それらの放たれつづけているエネルギーは、波奈の両親には見えていないようだった。高速道路で、おかあさんは眠(ねむ)っていた。おとうさんは満足そうに鼻歌を歌いながら、運転していた。山菜とりに満足したのだろう。

車の中で、波奈はある予感をいだいた。鏡ヶ池(かがみがいけ)の水面から放たれていたエネルギーと八海山(はっかいさん)の峰々(みねみね)から放たれていたエネルギーは、ある「時」が近づいていることのしるしのように思えた。何の「時」かは、まだ波奈にはわからなかったが。

3　異世界と四種の神器

六月の第一日曜日、ひょうたん池公園で修司はナンデモ研究会の四人を見かけた。四人は緑の相談所の脇を過ぎ、左側の小道を下りて、広場のはしに出た。あの青山みどりが消えた岩のオブジェに、近寄っていった。

修司は木々の後ろに隠れるようにして、四人を見ていた。

岩は丸みのある立方体だ。四面はほぼ東西南北を向いていた。四人が分かれて、四面に立ったとき、まわりの景色がゆれた。修司もその中に巻きこまれた。

青山みどりと思われる、静かだが深みのある声がひびいた。

「いらっしゃい。あなたたちは私のいる異世界に必ずやって来ると思っていたわ。ナンデモ研究会の四人の勇士たちよ。あなたたちに、この世界の案内人を紹介しましょう」

修司は思わず、木々のかげから広場に出て、四人に近づいた。それもニコニコしながら大きく手を広げて。

悟の驚(おどろ)いた声がひびいた。

「藤山先生！」

「ちがいます。あなたがたの守護神龍神藤山氏(しゅごしんりゅうじんふじやまし)です」

厳(きび)しいみどりの声があたりを森閑(しんかん)とさせた。修司は心の中にひそむ鬼(おに)が、顔をのぞかせるのを感じた。そして、四人の顔に恐(おそ)れの表情がうかんだ。

「藤山先生の瞳(ひとみ)に炎(ほのお)が見えるわ」

波奈がつぶやいた。

修司はなにがなんだかサッパリわからなかったが、大きな声を出した。

「龍神藤山(りゅうじんふじやま)です。よろしく」

修司はかすかに笑っている青山みどりの心を感じた。

翌日、修司は理科準備室で、昨日の不思議なできごとを思い出していた。

青山みどりは四人に告げていた。

……自分が異世界で、現代のヌナカワヒメを継承(けいしょう)したこと。

四人がヌナカワヒメのいる異世界と行き来できること。

異世界では、ヌナカワヒメの一族が、闇の者たちと戦いつづけていること。そして、四人も勇士としてこの戦いに加わる日が近いこと。

ナンデモ研究会の四人には、勇士としての力が秘められていて、四人がそろうとその力を発揮できること。たがいに心の声を伝えあうこともできること。

異世界は心の世界であるが、特別な能力を持つ者は異世界と現実の世界で同時に活動できるだけでなく、異世界から現実の世界に働きかけができること。ただ、ふつうの人々は異世界を見ることができない……。

修司はこのことについて考えてみた。たとえば職員室の自分の席で子どもたちのノートの点検をしているとき、心の中の自分が席から立ち上がって、となりの同僚の肩を後ろからポンと軽くたたく。となりの同僚は後ろをふり返るが、だれもいない。修司を見るが、修司はノートを点検中。こんな光景を想像して、科学的な考え方や見方を大事にしている修司は、思わず苦笑いをうかべた。

不思議なことだが、昨日は修司も異世界に巻きこまれてしまった。何が起こったのか、サッパリわからなくてあわてた。

あんなことがあったのに、ナンデモ研究会の四人は、何もなかったようにクラスでふるまっている。

六月の第二土曜日。修司はまたひょうたん池公園に出かけた。おだやかな日だった。修司は九頭龍池に流れこんでいる小川にかかっている小さな木の橋の先にある九頭龍権現に向かった。

修司がその橋を渡りかけたとき、フッとまわりの景色がゆれた。

ひょうたん池の水辺では親子連れの姿が見えた。ごくふつうの風景だった。

しかし、修司は自分が異世界にいることを感じていた。そして、恐怖を感じた。心の奥から亡き母がいつも気にかけていた鬼が出ようとしていた。修司は、心の奥にひそんでいた鬼をたしかに見た。そして、修司は自分が九頭龍であることを悟った。

七月の第一日曜日。ナンデモ研究会が波奈の部屋で開かれた。もちろん話題は六月の定例会のできごとである。

姿こそ見ることはできなかったが、懐かしい青山先生に再会できたのだ。青山先生から告げられたことは、どれも信じられない内容であったが、異世界にまぎれこんだことは、四人の実感であった。四人そろって真っ昼間、同じ夢を見たとは思えなかった。

波奈は、あの日から今日まで、青山先生の話と五月のいなかでのできごとを結びつけて考えをめぐらしていた。近づいている「時」とは、戦いの「時」にちがいないと。

波奈は三人にこのことを話した。

「五月の連休のあとにね、新潟のおじいちゃんの家に山菜とりに行ったの。気になるできごとと、ある予感があったのよ」

波奈は谷底に落ちそうになったときのことや、鏡ヶ池の水面から立ちのぼっていたエネルギーと八海山の峰々から放たれていたエネルギーについて語り、そのとき、ある「時」が近づいていると感じたことなどを話した。

「その『時』とは、戦いの『時』じゃないかと思うの」

悟が驚きと困り果てたような表情をうかべた。

「えー！　戦いの『時』が近づいているって？　オレたち何にも知らないぜ」

研一もうなずいた。

「たしかに」

波奈は二人のとまどいを理解し、うつむいてしまった。

文子がきっぱりと言った。

「青山先生の言葉を信じるしかないわ。考えながら動き、動きながら考えましょう」

波奈の心に、ふと、自由研究の発端（ほったん）になった浦佐（うらさ）駅で見たポスターがうかんだ。それとともに、そのとなりに貼（は）られた地図も思い出した。

地図は八海山（はっかいさん）の峰々（みねみね）とその名前だった。

波奈は顔を上げた。

「さっきのエネルギーの話につけ加えるわ。八海山（はっかいさん）の峰（みね）の一つは『剣ヶ峰（けんがみね）』なの、それから同じ越後山脈（えちごさんみゃく）の北の谷間に、さっき話した『鏡ヶ池（かがみがいけ）』っていう、青緑色のきれいな池があるわけ。それからヌナカワヒメとヒスイ。どう？」

研一が興味深そうにうなずいた。

「ふーん。剣と鏡ね」

悟が研一のあとを続けた。

「そうか。それに糸魚川のヒスイ。つまりマガタマ」

「おもしろそうね」文子が言った。

悟が顔を上げた。

「青山先生が教えてくれたよな。ナンデモ研究会の四人の勇士って。勇士って戦うんだろう？　つまり武器が必要だよな」

文子が口をはさんだ。

「『鏡』『マガタマ』そして『剣』でまさに三種の神器ね。でも、三つよ。私たちって四人だから足りないわ」

歴史にくわしい研一の出番だった。

「四つあればいいんだろう。あるよ」

波奈は驚いて研一の口もとを見た。

「銅たくさ。弥生時代、祭りのときに使われた鐘なんだ」

文子がすぐ説明した。

「どんなふうに利用されたのかよくわかってないけど、地中にうずめられていた神器ね？」

研一が少し得意そうに、

「そう。これで四種の神器がそろったよ」

悟がみんなに訊いた。

「だれがどれを使うの？　ジャンケンって、わけにはいかないだろうし」

文子が言った。

「ナンデモ研究会ができたきっかけは、波奈ちゃんが美しいヒスイにひきつけられたことよ。波奈ちゃんが『マガタマ』ね。そして私が『鏡』」

「オレも決まりだな。地震とか火山を鎮めるという説もある『銅たく』は理科に関係があるからね」

「ってことは、ぼくが『剣』？」

研一がつぶやくと、文子が言った。

「それしかなさそうね。『研』と『剣』、関係ありそうじゃない？」

研一がぶすっとして、つぶやいた。

「そんないいかげんな」

みんなの笑い声が、波奈の部屋を満たした。文子がだれにともなく、たずねた。

「神器って、どんな力があるの？」

悟がちょっと胸をそらせた。

「オレにまかして。マガタマは、未来を予知するはたらき。理由はミコが身につけて天の声を聞いたり占ったりしていたから」

研一があいづちを打った。

「なるほど。剣は？」

「剣は放電。つまりエネルギーの放出」

文子もたずねた。

「鏡は？」

「反射。たとえば、強いエネルギーで攻撃されたときに、はね返せる」

文子が首を少しかしげた。

「ふーん。銅たくは？」

「エネルギーを鎮(しず)める。吸いとれるんだ」

波奈は驚(おどろ)いて悟を見た。文子も研一もぽかんとした表情で悟を見ていた。

悟がみんなの視線を感じたのか、

「どうしたの？　オレ変なこと言った？　へへ。ちょっと思いつきが単純すぎたよね」

文子が少しあきれたような顔をした。

「悟くんって、ヒラメキの天才ね」

悟が頭をかきながら言った。

「なんか、ほめられたのか、ばかにされたのか」

波奈がふと思いついたように言った。

「ところで、担任の藤山先生、あの日の前とあとで、ちっとも変わらないよね。瞳(ひとみ)に炎(ほのお)は見られないし。あのとき怖(こわ)かったわ」

文子もうなずいて言った。

「そう。とても恐(おそ)ろしかったわ。でも、今は、何事もなかったって感じよね。いつも二コニコやさしいし」

「藤山先生と龍神藤山氏は、別人じゃあないかと思えちゃうよ」

悟が言うと、文子がからかうような表情をうかべ、

「そうかもよ。藤山先生と龍神藤山氏は、そっくりだけど別人」

波奈は文子の言葉につないだ。

「あるいは、あちらとこちらを、きちんと区別してふるまわないと、とんでもない問題が起きるのかもね」

第 4 章

戦いの始まり

1　不良と洋子

戦いは思いもしない身近なところから、始まった。

七月中旬（ちゅうじゅん）、記録的な暑さが続いていた。

エアコンは保健室とコンピュータ室にあるだけだった。教室の中は、うだるような蒸し暑さだった。

昼前から校舎全体がむっとする暗いエネルギーに包まれていた。

そのエネルギーに引き寄せられるように、邪悪（じゃあく）なエネルギーを持った者が近づいてくるのを、波奈（はな）は感じた。

波奈は文子（ふみこ）、悟（さとる）、研一（けんいち）に心で知らせた。三人はすぐに心で応えた。

青山（あおやま）先生を信じることで、短期間のうちにもう、そんなことができるようになっていた。

邪悪（じゃあく）なエネルギーを持った者の数は一人ではない。あちらこちらから集まってくる。

昼休みになった。校舎から子どもたちが、校庭にはき出されてきた。ドッジボールやバレーボールなども始まった。

波奈は教室の窓から校庭を見おろした。研一と悟はいつものように、二人で校庭のすみのクスノキの下で静かに話をしていた。

文子は教室内にいる。ふりむかなくてもよくわかる。机の上で本を開いて、静かに読書中だ。

いつもと変わりない光景である。しかし、校門付近から、悪意に満ちたエネルギーが、校庭のある一点にそそがれていた。

波奈はそちらを見た。バレーボールのグループの中に背の高い少女がいた。波奈はその少女を知っていた。桜井洋子（さくらいようこ）。この四月に、市内の他校から転入してきて、となりの六年二組に入った。

洋子と塾（じゅく）が同じ生徒から、うわさが流れた。

小学校四年まで洋子は、毎年学級委員に選ばれていた。勉強も運動もよくできた。ところが五年の夏休みごろから、生活が乱れ、不良グループともつきあいだした。両親の不仲が原因だと、近所ではささやかれていたらしい。

だが、洋子はもともと正義感にあふれ、明るい性格で、常識もあった。彼らとのつきあいにいやけがさしていた。しかし、不良グループたちとの縁を切るのは難しかった。そこで洋子は転校してきた。そういううわさだった。

校門付近にいた三年生の男の子が、不良グループに呼ばれた。何かやりとりがあり、その少年は、洋子のところへ言って伝えた。

洋子は校門のほうを見ると、バレーボールから抜けて、校門に向かった。

波奈は文子、悟、研一に、心で合図した。

「動きはじめたよ！」

邪悪なエネルギーが高まり、校門に近づく洋子にそそがれた。洋子は一瞬立ち止まったが、決心したかのように校門に向かい、外へ出ていった。

文子の心が、波奈、研一、悟に伝わった。

「あの子、気が強いね。すごいね！」

波奈が心で呼びかけた。

「気をつけて！　相手は五人ね。少年三人に少女二人」

二人の少女の一人が、洋子に何か言った。少年三人はにやにやしていた。洋子はどうどうと五人を見回して、短く何か言った。

五人のようすが変わった。邪悪（じゃあく）なエネルギーが急に高まった。五人がサッと、洋子を取り囲んだ。強力なエネルギーが洋子に向かって放出された。

だが、文子が発したエネルギーが、洋子を包み、邪悪（じゃあく）なエネルギーを反射した。五人は一瞬（いっしゅん）、とまどいを見せたが、一人の少年がポケットに手を入れた。

波奈の心が研一、悟、文子に呼びかけた。

「危ない！　ナイフよ」

ナイフをにぎった少年が、じりっと洋子に近づいた。そして、洋子に向かった。そのとき、研一からするどいエネルギーがほとばしって、ナイフをはじきとばした。

少年は顔をゆがめて、ナイフをにぎっていた右手を、左手でおさえた。

洋子をとりまいていた五人は、顔を見合わせ、何やらわめきながら、走り去っていった。

洋子は何が起こったのかわからないというように、頭をふった。それからホッとしたような顔をして、仲間のところにかけもどった。

校門の近くに植えられているクスノキの茂(しげ)った葉裏で、走り去る五人を、見つめる闇(やみ)の者の冷たい目が一瞬(いっしゅん)またたいたことに、波奈たち四人は気づかなかった。

五時間目の授業が始まった。洋子の席は窓ぎわだった。洋子は校門に目をやった。昼休みに校門前で起こったできごとを、思い出した。不思議だった。何かが自分を守ってくれたような気がした。

洋子はさっきの連中を知っていた。前の学校に通っていたときつきあっていたのだ。

洋子の父親は商事会社に勤めていた。母親も同じ会社に勤めていたが、結婚(けっこん)して退職した。退職後は高い語学力を生かし、英語塾(えいごじゅく)を開いていた。

父親は海外出張が多かったが、休日は親子三人で国内を旅行することが多かった。夏休みには、九州や北海道を一周した。一人っ子で、いつもかわいがられていた。

ところが洋子が小学四年生ごろから、両親のようすが変化してきた。子どもながらに、二人の間に冷たい風が吹きはじめたことを敏感(びんかん)に感じた。洋子が五年生になったころからは、洋子の前でも言い争うことが多くなった。離婚(りこん)の話題も出るようになった。

洋子は悲しみと不安で傷つきながらも、どうすれば両親の仲を取りもどせるのか、子どもながらに必死に考えた。洋子の考え出した答えは、二人を自分のことで心配させることだった。

ある日、洋子は集団登校中に、忘れ物をとりにもどるふりをして、みんなと別れ、学校をサボった。

洋子が登校しなかったので、すぐに担任の先生から洋子の母親に連絡がいった。

その日の夜、両親からなぜ学校に行かなかったのかと、問いつめられた。

洋子が無言でいると、二人は心配そうに顔を見合わせた。ひょっとしたら、うまくいくかもしれないと、あわい期待を持った。

でも、洋子を心配して二人が顔を見合わせたのは、ほんのちょっとだけで、すぐに言い争いが始まるのだ。洋子の行動さえが、争いのタネになりかねなかった。

ただ、二人の心をつなぐには、ほかの方法が思いうかばなかった。

日中、洋子が学校をサボって、街中をうろうろしていると、似たような少年少女たちから声をかけられるようになった。

いっときはその子たちといると気がまぎれることもあったが、洋子はどうしてもその子たちになじめなかった。

みんなの話題は、大人への不信が多かった。親たちの身勝手さ、親の不倫（ふりん）、貧困、驚（おどろ）いたのは、親たちからギャクタイを受けている者も少なからずいたことだ。

洋子はそういう親たちに、激しい怒（いか）りを覚えたが、少年少女たちの暗く、なげやりなすさんだ心には、同調できなかった。

2　現れた九頭龍（くずりゅう）

八月の第一日曜日、波奈は文子といっしょにひょうたん池公園に向かった。

駐車場（ちゅうしゃじょう）に自転車を置いて、園内に入ると悟と研一がユリノキの下で待っていた。

文子が明るい声で、二人に声をかけた。

「お待たせ！」

研一もうれしそうだ。

「久しぶりのひょうたん池公園だね。青山先生に会えるといいね」

悟もうなずいた。

「この前、トラブルも防いだしね」

広場を見おろしたあと、左手の小道を下りた。ナッツバキが、白い花をつけていた。

悟の好きな場所だ。

「ナツツバキって、シャラノキっていうんだよ、仏教のサラノキ。聖なる木のね」

研一が感心したようにうなずいた。

「なるほどね。聖なる地に、聖なる木ね」

悟はうれしそうに続けた。

「ここには、神社に欠かせないサカキやヒサカキの木もあるよ。魔除(まよ)けのヒイラギも」

波奈もニコニコしながら言った。

「よく知ってるわね」

文子もほがらかに笑いながら言った。

「悟くん。鼻が高くなってきたわよ」

みんなで大笑いしているうちに、空が暗くなった。悟のおしゃべりが、止まらなかった。

「見ろ！　あやしい雲が出てきたぞ！」

文子が、にが笑いをうかべた。

波奈は一瞬、身ぶるいした。

「ねえ、みんな。おかしいよ！」

空は真っ黒になり、あたりは夜のように暗くなった。次の瞬間、ピカッ、ゴロゴロゴロ。

四人は広場にある小屋にかけこんだ。

激しい雷雨だった。

波奈の目は、巨大なエネルギーを見ていた。

悟は興奮していた。

「すごいエネルギーだね！　オレ、これを鎮めることができるかな？」

文子がするどい声で止めた。

「危険よ！　やめなよ！」

悟が天を見つめて祈った。波奈には見えた。巨大なエネルギーが天の一角から悟に向かって、放たれた。

波奈は叫んだ。

「危ない！」

激しい衝撃がおそってきた。その瞬間、真っ黒な上空を、巨大な龍がおおった。龍の目は激しく燃えていた。

急に闇が晴れた。緑の相談所からは、嵐をさけていた人たちが、次から次に出てきた。

悟の顔色は、真っ青だった。悟だけではない。研一も文子も真っ青だった。波奈も同じだった。


あたりにはいつもの風景がもどっていたが、四人は異世界にいることを感じた。

おだやかだが、厳しい声がひびいてきた。

「むぼうな試みだったわね」

しばらく沈黙が続いた。あたりが青山先生の気配に満たされた。再びおだやかな声がひびいてきた。

「まあ、しかたないわね。小学生だものね。守ってもらえるうちに、いろいろ挑戦してみることも大事かもね。四人とも、巨大な龍を見たでしょう。あなたたちを守ってくれた九頭龍よ。あなたたちの守護神。龍神藤山氏よ」

悟はシュンとしていた。

「あなたたちは、一つのトラブルを解決したわ。でも、自然のエネルギーは、あなたたちの想像を超える大きさなの。ちょうど今ごろの時期の、積乱雲のエネルギーでさえ、まだ、あなたたちの手におえるレベルじゃないのよ。火山の噴火や巨大地震のエネルギーは、私たちにも難しいのよ」

異世界が静かにゆらぎ、波奈はもとの世界にもどったことを感じた。広場では子どもたちが、キャッキャッ、と、叫びながら走り回っていた。

3　小旅行

夏休みも半ばを過ぎたころ、波奈はおかあさんからうれしい提案をもらった。

「おかあさんはね、五年生のころ、友達をさそって、子どもたちだけで新潟のおじいちゃんの家に遊びに行ったわよ。中学生になると忙しくなるから、夏休みが終わる前に、波奈もお友達と行ってきたらどうかしら？」

波奈は大喜びで、ナンデモ研究会のメンバーに電話で連絡した。みんなも大喜びだった。二泊三日の小旅行を計画した。二日目は糸魚川市の見学。

全員、家で許可がおりた。おじいちゃんとも連絡がとれた。おじいちゃんは埼玉と新潟を行ったり来たりしていて、今は新潟にいる。

「おお、そうかそうか。波奈のおかあさんもそうだったね。オーケー、オーケー」

八月二十日、四人は最寄りのカルガモ駅を八時十二分に出発した。川越駅からは埼京線で大宮駅に行き、大宮駅で新幹線に乗車。浦佐駅には十時三十五分に到着予定だ。

悟と研一は大宮駅まで、波奈たちとは別々に行動した。心配するほどのことはなく、知っている小学生には、だれとも会わなかった。

大宮駅の新幹線のホームで合流した。新幹線はそれほど混んでいなかった。座席を回転させて、四人で向かいあって座った。

　みんな少し興奮していた。子どもたちだけでの旅行。楽しみでしかたがない。外の景色を見たり、お菓子（かし）を食べたり、夢中でおしゃべりしているうちに浦佐（うらさ）駅に着いた。

　ホームから階段を下りると、改札の向こうで、おじいちゃんがうれしそうに手をふっていた。

　改札を出ると、

「いらっしゃい、いらっしゃい。待ってましたよ」

　悟がかたくなって、恥（は）ずかしそうにしながら言った。

「お世話になります。ぼく、悟といいます」

　波奈は心の中でフフッと笑った。

（悟くんて、今は「ぼく」なのね）

「研一です」

「文子です」

　おじいちゃんはニコニコ笑った。とてもうれしそうだった。

四人を乗せた車は、国道十七号線を新潟方面に向かった。外は蒸し暑かったが、車の中は涼しく快適だった。おだやかなおじいちゃんの声がみんなを包みこんだ。

「横を流れている川は魚野川だよ。川口というところで、日本一長い信濃川に合流しているんだ。その付近には旧石器時代や縄文時代の遺跡がいくつも見つかっている。川向こうに三つの山がそびえているだろう。右側のごつごつといくつかのするどい峰を持った山は八海山、真ん中が中ノ岳、一番高く、標高は二千メートルを超えている。左の馬の背のような美しいりょうせんの山は越後駒ヶ岳だ。合わせて越後三山と呼ばれているんだよ」

しばらく行くと街が見えてきた。

「小出の街だ。明治維新のとき、官軍と会津軍の激しい戦いがあったところだ」

街並みがまばらになったころ、国道十七号線から道が分かれた。

「この道は福島県の会津への道だ。昔、源頼朝に追われた義経や弁慶一行が、通ったという言い伝えが残っている。横を流れている川は破間川だ。地図で見ると南から魚野川が流れ、北から破間川が流れ、小出で合流している。二つの川を結ぶと一直線。川をはさんで右側の山々は高く険しい。左側は穏やかな山並みで丘陵だ。地質もまったくちがう。右側は二、三億年前のかたい岩石。左側は数百万年前から、数千万年前の堆積物だ。日本有数の地すべり地帯だ。川は合流後、魚野川として左側の丘陵を横切り、長岡市の川口で日本一長い信濃川に流れこんでいるんだよ」

突然、悟が声を出した。

「二つの川は断層で、できた川なんですね。ひょっとしたらフォッサマグナですか？」

「ホーホー。よく知ってるね。そのとおり。フォッサマグナは日本列島ができたときの大地の溝なんだよ。明日フォッサマグナの博物館にも行こうと思っているんだ。悟くんは地質学に興味があるんだね」

悟の顔が明るく輝いた。道中、ぽつんぽつんと小さな集落があった。破間川は徐々に谷川に変わり、谷の深さが増していった。

「ほら、前方に高い山が見えるだろう。守門岳だ。私の家はそのふもとの谷間にある」

いくつかの集落を過ぎると、急な山道を登り、峠に出た。目の前に濃い緑色の美しい池が現れた。

「鏡ヶ池、いろいろな伝説がある。その奥にある山が、鷹待山だ。峠を下ってみるとわかる。反対側は急な岸壁だ。昔、城が築かれていたようだ。こんな山奥なのに、南北朝の時代、いやそれ以前、そしてそれ以後、そのときどきの戦に巻きこまれ、敵味方に分かれて争い、血を流している。悲しいもんじゃのお」

研一も文子も興味深そうに、おじいちゃんの話に耳をかたむけていた。

おじいちゃんの家に着くと、波奈は三人を案内して家のまわりを散歩した。破間川と破間川に流れこむ沢沿いにある。北側と西側が深い谷になっている。

悟が小さな声で叫んだ。

「オオルリだ！　すごい！」

悟の指さす先を見ると、るり色の美しい小鳥が、クルミの木の枝先に止まっていた。

次は研一だ。

「すごいね。沢が大きく曲がっているから、ほぼ三方が深い谷だよね。ここは天然の要害だよ。川向こうに見える鷹待山に城があったって、波奈のおじいちゃんが教えてくれたよね。ってことは、見張り用の山城が鷹待山にあって、このあたりに城があったんじゃないかな。あれ？　波奈ちゃん。庭のはしに大きな岩があるよね」

悟も研一の視線を追った。

「ほんと、ツツジの低木に囲まれているけど、なんの岩石かな?」

四人で岩に近寄った。悟が岩にふれながら言った。

「チャートの巨岩だよ」

レンガ色の大きな岩だった。

「チャートって?」

文子が不思議そうに聞いた。悟はさらに顔を輝かせながら言った。

「簡単にいうと生き物のカラがたまってできた石だよ。堆積岩の一つだね」


二日目の朝は早かった。七時半におじいちゃんの家を出発した。糸魚川には十時三十八分に着いた。はじめにヒスイ王国館を見学した。大きなヒスイの岩があった。おじいちゃんは丸いメガネがぶつかりそうになるほど、目を近づけて見ていた。

悟が小さな声で、叫んだ。

「すごい!」

ヒスイの加工品もあった。加工の工程もガラスごしに見ることができた。アンザンガン、セッカイガン、チャートなど、いろいろな種類の岩石も展示されていた。

みんな熱心に見ていたが、特に悟とおじいちゃんの集中力はすごかった。二人の目はふつうじゃなかった。目の色が変わるというのは、こういうことを言うんだな、と、波奈は思った。

悟とおじいちゃんを、展示物から引き離すようにして、ヒスイ王国館を出た。駅前の横断歩道を渡って、ヌナカワヒメの像を見た。研一と文子は、像のまわりをぐるっと回り、いろいろな角度から見ていた。

次に、車で移動して海の近くの公園に行った。ヌナカワヒメと息子のタケミナカタの像があった。

悟が何かの表示を見つけた。

「ここは北緯三十七度二分三十六秒、東経百三十七度五十一分四十八秒なんだね」

「ホー、ホー、悟くん」

おじいちゃんが、うれしそうに叫んだ。

ヒスイ海岸では、またまた悟とおじいちゃんは石拾いに夢中になった。二人のビニール袋が、すぐにいっぱいになった。波奈と文子は、きれいな色の小石を少し拾った。

「おおい！　すごいものを見つけたよ」

遠くから研一の声がした。みんなかけ寄った。研一のまわりには、少し大きい石がたくさんころがっていた。

波奈は研一の持っている石を見た。手のひらにおさまるくらいの大きさだった。何がすごいのかわからなかった。

少し遅れてきたおじいちゃんが、叫んだ。

「ホー、研ちゃん、すごいね！」

波奈は（おじいちゃんまで、私たちがおたがいに呼びあってる言い方になってるわ）と、そのことのほうがおもしろかった（だんだんおじいちゃんらしくなってきたわ、フフッ）。

「研ちゃん、これは石のオノだよ！」

「そうですよね。セキフ（石斧）ですよね」

「ホー！　そお！　セキフ」

波奈は興奮している二人に言った。

「さあ、次よ。時間がなくなってきたわ」

天津神社・奴奈川神社では、神妙な顔をしておまいりするおじいちゃんの真似をして、みんなでおまいりをした。裏のヤブに巨木があった。

「すごい。これはタブノキですね。樹齢は千年を超えていそうですね」

悟が感心したように言うと。おじいちゃんの顔がゆるんだ。

「ホーホー」

研一が聞いた。

「ここが聖地の一つですね」

おじいちゃんの顔が、さらにゆるんだ。

「ホー、ホー」

波奈は時間が気になって、みんなをせかした。

最後に長者ヶ原遺跡とフォッサマグナミュージアムを見学した。みんな疲れているはずなのに、おじいちゃんと同じように目は輝いていた。

まだ心残りで、うしろ髪（がみ）をひかれている悟とおじいちゃんを、波奈はフォッサマグナミュージアムから押し出（おだ）した。

あっというまに、波奈たちの二泊三日（にはくみっか）の旅が終わろうとしていた。最終日におじいちゃんは、おばあちゃんの実家に連れて行ってくれた。

おじいちゃんの家から車で一時間ほどかかる。いったん小出（こいで）に出て、国道十七号を新潟方面に向かった。

魚野川（うおのがわ）が信濃川（しなのがわ）に合流するあたりで、右手側の脇道（わきみち）に入った。坂道をどんどんのぼった。

越後三山（えちごさんざん）のよく見えるところで、おじいちゃんは車を止めた。右から八海山（はっかいさん）、中ノ岳（なかのだけ）、越後駒ヶ岳（えちごこまがたけ）が見えた。

「悟くん、ちょっと来てごらん」

おじいちゃんは少し切りたったガケを指さした。悟はすぐ見つけたようだ。目が輝（かがや）いた。

「地層が見えますね。わ！　砂の層だ」

おじいちゃんは車のほうをふり返った。

「みんなも来てごらん。ここは昔、海の底だったんだよ。これが、その証拠（しょうこ）。そうだな、数百万年前の海の底だ。まだ人類は誕生してなかったころだよ。よく観察するといろんなことがわかるんだよ。この場所が海岸から近いところにあったとか、遠ざかったところにあったとか、そのころ火山活動が活発だったとか、気候なんかもね」

その場所からほんの数分、車で移動した。さっき見た越後三山（えちごさんざん）の左側の山々（やまやま）が、遠くに見えた。

「左はしから守門岳（すもんだけ）、黒姫山（くろひめやま）、浅草岳（あさくさだけ）、鬼ヶ面山（おにがつらやま）、毛猛山（けもうさん）だ。さっき見えた越後三山も含めて、越後山脈（えちごさんみゃく）だな」

おじいちゃんは、丸いメガネの奥（おく）の目を細めた。

「波奈ちゃんはいいよな」

悟がうらやましそうに言った。帰りの新幹線の中である。

波奈は聞いた。

「どうして？」

「あんなふうに物知りのおじいちゃんがいて」

「えー、そうかな。でも、いっしょにいても、おじいちゃんって、何かに夢中になってしまって、私のことを忘れてしまうことが多かったような気がするわ」

波奈は車窓の風景に目をやりながら、小さいころのことを思い出した。

……それはある日曜日のできごと。その日は朝から、雨が降っていた。

おかあさんは次の日、私がコガモ幼稚園に持っていくぞうきんをミシンでぬっていた。

おかあさんのさいほう箱には、針やハサミと、きれいな糸がたくさん入っていた。赤や黄色、緑や青、黒や白。

波奈はきれいな色の糸を、上着のポケットに入れた。

「何しているの？　なくさないでよ」

おかあさんがちょっと大きな声で言った。

「へいきよ。すぐ、返すから」

そのとき、電話がなった。

「波奈ちゃん。おかあさんは手を離せないから出てみて」

電話からはおじいちゃんの声が聞こえてきた。

「波奈ちゃん、おじいちゃんはこれからひょうたん池公園に行くけど、いっしょに行くかい」

「おかあさんに聞いてみるね」

「おかあさん、おじいちゃんとひょうたん池公園に行っていい？」

「いいけど、雨が降ってるよ。雨ぐつをはいてってね」

「おじいちゃん。おかあさんがいいって！」

おじいちゃんは迎えに来るのが早いので、急いでおでかけのしたくをした。

家の外から、おじいちゃんの声がした。

「波奈ちゃん、行くよ」

玄関(げんかん)に出たおかあさんが、ちょっと心配そうに言った。

「雨が降ってるけど、だいじょうぶ？」

「少し明るくなってきたよ。すぐ、やむよ」

おじいちゃんの言ったとおりだった。ひょうたん池公園の駐車場(ちゅうしゃじょう)で車から降りたら、もう雨はやんでいた。

「ほら、見なさい」

おじいちゃんは自慢そうに、胸をそらせた。

「さあ、行くぞ」

おじいちゃんははりきっていた。大またで歩きはじめたので、波奈は走って追いかけた。

「待って、待って」

おじいちゃんは急に立ち止まった。波奈が追いつくと、

「見てごらん」

おじいちゃんはカツラの木の葉っぱを、指さした。

「わー、きれい！」

葉っぱの上に、たくさんの小さな水滴が丸まって、きらきら光っていた。

波奈が首をかたむけると、金色になったり、にじ色になったりした。

「宝石みたい。きれいだね、おじいちゃん」

返事がないので、ふり返って見ると、おじいちゃんは夢中になって、カツラの葉っぱを曲げたり裏にしながら、虫メガネでのぞいていた。

いつものことだ。こうなったら、しばらく話しかけてもムダ。波奈は一人でひょうたん池のほうに向かって歩いた。

池のまわりの芝生（しばふ）も、きらきら光っていた。たくさんの宝石が、ばらまかれているように見えた。あんまりきれいなので、さわってみたくなった。

指でふれるとびっくり。

「えっ？　かたい！」

ほかのものも、さわってみた。どれもかたく、本物みたい。拾って、手の上にのせて、よく見てみた。小さな穴のある宝石もあった。

いい考えがうかんだ。

「首かざりをつくろーっと」

ポケットの中から糸を取り出した。穴のあいた宝石を拾って、糸に通した。

「できた！」

喜んでいると、頭の上のほうから、大きな声が聞こえてきた。

「首かざり、ほしいな」

顔を上げると、ハンノキが、うらやましそうな顔をしていた。

「わかった。あげるよ」

ハンノキの枝に、首かざりをかけてあげた。すると、

「ぼくも、ほしいな」

となりのハンノキも、ほしがった。

「わかった。つくってあげるよ」

となりのハンノキの枝にも、首かざりをかけてあげた。すると、

「おれも、ほしいな」

となりのとなりのハンノキも、ほしがった。

「いいよ。つくってあげるよ」

となりのとなりのハンノキの枝にも、首かざりをかけてあげた。すると、

「わしも、ほしいな」

となりのとなりのとなりの、いちばん太いハンノキも、ほしがった。

「ちょっと待っててね、つくるから」

となりのとなりのとなりの、ハンノキの枝にも、首かざりをかけてあげた。すると、かわいい声が聞こえてきた。

「いいなー。ぼくたちだってほしいな」

「そう。私たちだってほしいよね」

ハンノキのたくさんの葉っぱたちも、ほしがっていた。

「いいよ。みんなには、宝石をのっけてあげるね」

穴のあいていない、きれいな宝石をのっけてあげた。

もう、大忙し。でも、みんながきれいになったので、うれしくなった。

ところが、大変。みんなが、自分がいちばんきれい、と言い出して、けんかになってしまった。

もう、おおさわぎ。波奈は困って、泣きそうになった。

そのとき、大きなのんびりした声がひびいた。

「おーい、波奈ちゃん！」

おじいちゃんがニコニコ笑いながら、池のほうに歩いてきた。

まわりはいつのまにか、静かになっていた。

ふり返ると、宝石は消えていた。

でも、ハンノキは明るい陽をあびて、きらきら光っていた。やっぱり宝石のようにきれいだった……。

不思議な思い出だった。波奈はずいぶん長くボンヤリしていたように感じたが、実際にはそうでもなかったようだ。

悟が不満そうに、研一に同意を求めた。

「波奈ちゃんのおじいちゃんって、物知りで、やっぱりいいよね」

文子が笑いながら言った。

「わかるわ。悟くんも研ちゃんも、波奈ちゃんのおじいちゃんに似てるよ。特に悟くんって、やってることがそっくりだったわ」

波奈も思い出し笑いをした。悟がブゼンとした。

「オレは光栄です。波奈ちゃんのおじいちゃんに、似ていて！」

また、笑い声が起こった。波奈は子どもたちだけの（子どものようなおじいちゃんもいっしょだったけど）とても楽しい小旅行だった、と思った。心の中で、おじいちゃんに感謝した。

4　黒姫伝説（くろひめでんせつ）

暑い夏も終わり、と言いたいところだが、残暑の厳しい中で、二学期が始まった。始業式が終わり、ホームルームが始まるまでの休み時間はにぎやかだった。夏休み中のおたがいの体験談でもちきりだった。

波奈が見回すと、文子は一人静かに本を読んでいた。畑仕事で真っ黒になった悟と、日焼けしていない白い顔の研一の二人は、静かに語りあっていた。

文子は声をかければ、静かに顔を上げて、ひとことふたこと話すが、研一と悟の二人は、波奈のほうを見ることさえしない。

九月の第一日曜日、ナンデモ研究会が開かれた。まだ、暑い日が続いていた。

「いやー。波奈ちゃんの部屋は快適だね」

悟がうれしそうに言った。

文子は、波奈の部屋に入ると、すぐにイスに座り、バッグからパソコンを取り出した。

「みんな早く座って。始めるわよ」

やっぱり別人だと、波奈は思った。

悟も研一も、別人の文子に、すっかり慣れてしまっている。何も言わずにすばやく席に着いた。

研一が口を開いた。

「ぼくは聖地、奴奈川神社で心がひきしまったよ。そうそう、ぼくの拾った石斧、手のひらにおさまるくらいの大きさなんだけど、けっこうずっしりと重いんだよ。何の石かな?」

悟が上を向いて、腕を組んだ。

「ふーん。白っぽかったよな？　重い？　あのとき、波奈ちゃんが急いでいたから、よく見なかったんだ。ひょっとしたらヒスイかも」

波奈は思わずあやまった。

「ごめん、ごめん。あのとき、時間がなくてあせっていたのよ」

文子が波奈に、助け船を出した。

「悟くんも研ちゃんも、目の色が変わっていたわよ。波奈ちゃんが声をかけなければ、予定どおりの見学ができなかったわ」

研一と悟が頭をかきながら、声をそろえて言った。

「たしかに。そうかも」

文子が声を落として、静かな調子でゆっくりと言った。

「私ね、波奈ちゃんのおじいちゃん、青山先生がどこにいるのか知っているような気がしたの。異世界のこともね」

研一がうなずいた。

「ぼくもそう思ったんだよ。聞けなかったけどね」

悟がなさけなそうな顔をした。

「オレ、夢中になってしまって、そんなこと、思いつきもしなかったよ」

研一が腕組(うでぐ)みをした。

「青山先生は、どこにいるんだろう？」

四人は五年生の三月を最後に、青山先生の姿を見ていない。異世界で、懐かしい声は聞いているが。

悟が思いついたように言った。

「手がかりは地名に隠されているとか。どう？」

「うん。悟くんいいね」

文子はうなずきながら、波奈に聞いた。

「ねえ、波奈ちゃん。二人でヌナカワヒメの伝説や神社を調べたでしょう。そう、思い出したわ。今回おまいりをした奴奈川神社は、糸魚川の黒姫山にあったものを移したって。あいだにどこかちがうところで、一度まつられてからだけど。そんなことが書いてある資料を読んだよね」

波奈が答える前に、悟が割りこんだ。

「黒姫？　オレ調べたよ」

文子が意外そうな顔をした。

「えっ？　悟くんが？」

みんな驚いて悟を見た。悟はたんたんと話しはじめた。

……ヒスイの玉づくりのその後を調べたとき、地図で遺跡の場所を調べたこと。糸魚川周辺の地図で見つけた黒姫山が、白っぽい石灰岩でできているのに、なぜ黒姫なんだろうと疑問に思ったこと。ヒスイの産地は姫川の支流であること。

それで、なんとなく黒姫という言葉が記憶に残ったこと。柏崎と長野県の信濃町にも黒姫山があったこと。佐渡には黒姫川があったこと。なんだかよくわからないけど、黒姫ってどこにでもあるのかと思って、コブナ図書館で各県の地名辞典を調べたら、ほかの県にはまったくなくてビックリしたこと。

でも、新潟県の地名辞典にのってなかったのに、波奈ちゃんのおじいちゃんから、魚沼で「黒姫山」の地名を聞いたこと。それで、ほかの県でも辞典にのってなくても、黒姫という地名があるかもしれないと考えたこと……。

文子が急にパソコンを操作しはじめた。

「見て！」

みんなイスから立ち上がり、文子のまわりに集まって、パソコンをのぞきこんだ。拡大された地図があった。そして、そこには「黒姫」「上黒姫沢」「下黒姫沢」の文字があった。

文子が言った。

「これも気にならない？『守門岳』、そしてこれも『鬼ヶ面山』」

今まで、四人は調べる内容を分担していた。波奈と文子がヌナカワヒメの伝説、悟はヒスイ、研一が古事記と歴史的なことを担当していた。

これからは、一人ひとりが気になったこと、疑問に思ったことを、自由に調べていくことにした。ナンデモ研究会の研究方針も確認した。それは、「常識にとらわれないことと、直感を大事にすること」である。

一週間後、波奈はひょうたん池公園に、自転車に乗って一人で訪れた。カルガモとひたいの白いオオバンがいた。まだ、冬鳥は渡ってきていない。

水面を見つめていると、目のすみを何かがすばやく横切った。波奈は知っている。カワセミだ。どこに止まったかも、見なくてもわかっている。いつも同じ木の枝の先に止まるのだ。

どれも、小さいころにおじいちゃんから教わったのだ。

ナンデモ研究会の、九月の定例会のときのことを思い出していた。おじいちゃんが文子と研一に与えた印象に驚いたが、心のどこかで、そのことを知っていたような気もするのだ。

その記憶を、呼び起こすことができるとしたら、不思議な思い出の多い、この場所のような気がした。

池があり、小川があり、自然のままの雑木林がある。思いのほか深い。林の間を進んでいくと森の奥に入ったような気がする。静かだ。ときどき、大工さんが家を建てているときのような音がひびく。コンコンと。きつつきのコゲラが、仕事をしているのだ。

とても懐かしい気持ちがわいてきた。サワサワと風が吹きわたった。ふっと風景がゆらいだ。心が時を超えたようだ。

枯れ葉のじゅうたんの上で、おじいちゃんがニコニコしながら、小学三年生の波奈の手のひらに小石をのせてくれていた。深みのある美しい声が聞こえてきた。

「いらっしゃい、波奈ちゃん。星野博士、お久しぶりです」

「おお、ヒメか。元気じゃったかのお」

「星野博士もお元気そうで」

「波奈ちゃんも大きくなりましたね」

「そうそう。この前連れてきたのは小学校にあがる前だったからね」

「谷のみんなは、たっしゃかのお？」

波奈は思った。女の人の声は、青山先生の声にとても似ていた。

クヌギの葉がゆれた。木々のあたたかい笑い声が、かすかに聞こえたような気がした。

5　いじめ

十月の半ばを過ぎたころ、六年生でいじめが発生した。

いじめの標的になった少年は、一学期まではいじめっ子グループのボスだった。名前は権田猛。とりまきも四、五人いた。

猛の両親は二人とも元暴走族だ。父の部屋には、その当時の写真がかざられていた。二人とも格好がよかった。家の中でけんかは絶えなかったが、二人のきげんがよいときには猛をずいぶんかわいがった。

家族連れで、海や山にもよく遊びに行った。どこに行っても、まわりの人たちが父を恐(おそ)れているようすがよくわかったが、猛には自慢(じまん)の父だった。

ところが、猛が小学四年生に進級して間もないころ、父は家を出ていった。夕食を三人で食べているときだった。みそ汁(しる)を飲んだ父が怒(おこ)った。

「しょっぱい。何回言えばわかるんだ！」

「濃(こ)いほうがおいしいのよ！　自分でお湯を入れてうすめればいいでしょう！」

猛には、いつもの口げんかのように思えた。

ところが、父はおわんを母に投げつけた。母も怒(おこ)った。

「何すんのよ！」

激しいののしりあいが始まった。

最後に父が、

「出ていけ！」

「あんたが出ていけばいいでしょう！」

父は本当に出ていった。そして、そのまま帰ってこなかった。猛は父が好きだった。怖かったけど好きだった。

以来、猛と母の口げんかが日常となった。朝、けんかをして家を出てくるのだから、イライラしながらの登校だ。気にいらないやつ、自分に注意するやつ、ビクビクしているやつ、だれかれかまわずに暴力をふるった。

もちろん先生から注意を受ける。母が学校に呼ばれて、猛の学校でのようすを知らされる。母は家に帰ると、猛をしかる。ときにはなぐられる。猛は反抗する。どうしようもない悪じゅんかんだった。

六年生の子どもたちはだれもが、少なくても二、三回はいやな思いをしていた。集中的に猛にいやがらせをされた子も少なくなかった。

猛と同じクラスに、色の白い小がらな男の子がいた。名前は白石良雄。昼休みでも校庭で遊ぶことは少なく、教室で静かに本を読んでいることが多かった。

良雄は小さいころから外で遊ぶより、家の中のほうが好きだった。本を読んだり、ゲームに夢中になったりしていた。だが、見かけによらず、天性の運動能力を持っていた。

暑さもやわらいだ九月の下旬。良雄は、自転車で入間川の河川敷に出かけた。ネムノキ公園の歩行者・自転車専用の道路を走っていた。そのとき、公園で遊んでいた猛のグループとすれちがった。

もちろんただではすまない。猛はすれちがいざまに、良雄の自転車を足でけとばした。たおれた良雄が自転車を起こして、そのまま通り過ぎようとすると、猛がからかった。

「おーい、よっちゃん弱虫、逃げるのかよ！」

それでも良雄が黙ってその場を去ろうとすると、猛は良雄の前に回って、こぶしで良雄をなぐった。と、グループの子どもたちはだれもが思った。

ところがたおれたのは猛だった。一瞬のことだったので、みんなは何が起こったのかわからず、ぼうぜんとしていた。

このうわさが流れると、ボスの立場が、微妙に変化した。その気配を感じて、とりまきも離れた。

いじめられて、うらみをいだいていた者たちからの反撃が始まった。とりまき連中も加わって、先生たちに気づかれないように事態は進んだ。

人の心が生み出す悪のエネルギーが、急激に成長しつつあった。

ナンデモ研究会の四人は、日増しに高まるエネルギーを心の目で見ていた。子どもたちの笑顔の奥に、興味しんしんの目の奥に、無関心そうな目の奥に、ひそむ悪のエネルギー。皮肉な目の奥に、あざ笑いの目の奥に、うらみの目の奥にひそむ悪のエネルギー。

その渦に巻かれながら、元いじめっ子がおびえていた。

十月半ばの月曜日の放課後、教職員は職員会議のため、全員が職員室に集まっていた。その日の昼休み中に六年生の男子全員に、口伝えで連絡が流れていた。「放課後、体育館に集合」という内容だった。悟と研一が体育館に入ると体育館の中央に両腕を二人がかりで押さえられた猛がいた。まわりを六年生の男子が取り囲んでいた。

体育館の中では、邪悪なエネルギーが渦巻いていた。だれかが声をあげた。

「みんなでなぐろう」

「そうだそうだ」

「これじゃリンチだ」と、研一が悟の心に伝えた。悟も応えた。

「いくら元いじめっ子でも。猛の心がこわれないようにしないとね」

　校庭にいた波奈と文子も体育館に近寄り、心の目で体育館の中のようすをうかがっていた。

　ここは悟の出番だったようだ。ナンデモ研究会の三人が見守る中で、巨大にふくらんだ邪悪なエネルギーの波動に、悟の心がつくり出す波動が共鳴し、なだめ、たくみに鎮めた。猛を取り囲んでいた六年生男子の輪がとけた。

　このとき、四人がさらに心の目を澄ませば、校庭のクスノキの陰からにが笑いしながら背中を見せて去る、闇の者の姿を見ることができたかもしれない。

　十一月の第一日曜日は、波奈の提案でひょうたん池公園に集まった。

　みんながそろうと、悟が言った。

「オレのノートは、まるでナンデモ研究会の連絡ノートだよね。『会場変更！　ひょうたん池公園。現地集合。雨天の場合はいつもの会場』、これだもんね。

　先生がときどきノート点検をやるだろう。だから、メモを見られないように、シールを貼っているんだよ」

　文子がすかさず言った。

「シールじゃあ、はがされて見られちゃうんじゃない？」

「うん。先生を信用してるし、見られたって、悪いことをしてるわけじゃないからね」

再び文子が言った。

「私も困ったわ。だって、ここじゃコンセントがないものね。まあ、少しは充電されてるけどね。パソコンは」

「ごめんね！　おわびにってわけじゃないけど、ちょっとおもしろいことをやって見せてあげるわ」

波奈が池に近づくと、カルガモたちが池から上がって、波奈のまわりに集まってきた。

波奈はバッグの中から食パンを取り出して、小さくちぎって投げた。カルガモたちが争ってパンを取りあった。

「さあ。これからよ！」

波奈が次に小さなパン切れを、上に向かって放り投げた。すると、パンが落ちないうちに、どこにいたのかヒヨドリが飛んできてキャッチして飛び上がり、枝先に止まって食べた。

「スゴーイ！　サーカスみたい」

文子が大声で感心すると、悟も目を見開いて言った。

「訓練したのかい？」

波奈は笑いながら言った。

「おじいちゃんが、いつもやってたの。本当は、だれがやってもできるのよ。やってみる？」

みんなもおもしろがって、波奈からパンを一枚ずつもらってやりはじめた。

「波奈ちゃん、パンがなくなったわ。もっとちょうだい」

「オレにも」

「みんな、小さくちぎってね！」

しばらく鳥たちにパンをあげていたが、波奈がからになった袋（ふくろ）を、ヒラヒラふった。

「もうおしまい。パンがなくなったわ」

波奈たちは、桜の木に囲まれた、屋根つき、テーブルつきのベンチに腰（こし）をおろした。

悟が汗（あせ）をふきながら、大きな声を出した。

「おもしろかったー。ホー、ホー、いい汗をかいたぞー」

波奈は思わずほほえんだ。

「悟くんって、本当に私のおじいちゃんに、似てきたわ。小さな丸いメガネを鼻にかけたら、そっくりよ」

「光栄です。オレ、波奈のおじいちゃんのファンだから」

みんなで大笑いした。

文子が緑色のバッグからパソコンを取り出して、テーブルに置いて言った。

「さあ！　始めましょう」

研一が口火を切った。

「考古学の最近の資料を読んでいたら、例のがあったよ」

「例のって、なんのこと？」

文子が研一にたずねた。

「ほら。魚沼の黒姫のこと」

「それで？」

まるで、文子がジンモンしているみたいだ。

「洞窟が見つかったんだよ。黒姫第一洞窟と第二洞窟が」

文子が研一を見ながらジンモンを続けた。パソコンのキーボード上で、文子の指がしきりに動いている。波奈は感心して文子の指の動きを見ていた。

「洞窟は、いつ発見されたの？」

「くわしくはわからないけど、最近みたいだね。考古学上の調査が入ったんだ」

「何か、出てきたの？」

「縄文時代のもので、それも時代がかなり古く、縄文時代の初めのころの土器が出ているみたいだね」

文子が手を休めて言った。

「とにかく、ヒトがそのころからいたってことよね」

「そう。それでね、その周辺の遺跡を調べたんだよ。波奈ちゃんのおじいちゃんに教わった信濃川沿いの旧石器時代の遺跡だけど、全国的にけっこう有名な遺跡もあるんだね。縄文時代の遺跡も、規模が大きいんだ」

悟が興味深そうに、口をはさんだ。

「玉づくりの遺跡はないの？」

研一が少し得意そうな顔をした。

「信濃川のもっと上流、海からずいぶん離れた奥地に、大規模な遺跡が見つかっているようだね」

「ふーん。オレたちの調査も、地域が広くなってきたね」

文子がうなずきながら言った。

「そうね。点が増え、点と点が結ばれて線になるってとこね」

突然悟が大きな声を出した。

「文ちゃん、それだよ！　あっちこっちにある神社や大岩などの神聖な場所を『点』として見るんだよ。それぞれの点は異世界への門。点と点を結ぶ線は異世界の道になる」

悟のとっぴな連想的思いつきは、三人に無視された。

6　卒業

学校の大きな行事は一学期と二学期で、ほとんど終わっている。委員会活動も、五年生が中心になって動いている。もっとも、卒業式が最大の行事なのかもしれないが。

二月の初めに、カワセミ中学校の先生と生徒の訪問があった。波奈たち六年生が、安心して中学校に入学できるように、各学級で説明会を開いてくれた。

中学校で学ぶ教科、学校生活の決まり、行事、部活動などの紹介（しょうかい）だった。波奈たちにとって、特に関心が強かったのは、部活動だった。

波奈たちが入学するカワセミ中学校は、コブナ川沿いの低地にある。規模は小さくて、各学年とも二クラスしかない。そのため、教職員の人数も少ない。

生徒も教職員も少なければ、部活動の数も少ないのがふつうだが、カワセミ中学校はそれほど少なくなかった。それが本校の特色の一つですと、中学校の先生が説明してくれた。

陸上、野球、サッカー、バスケットボール、バレーボール、ソフトテニス、卓球、美術、演劇、吹奏楽、科学、郷土史研究だった。

先生たちは一人ひとりが複数の部を担当し、一つの部を複数で担当する複数顧問制。生徒も複数の部に所属が可能だった。技術の上達や勝つことも目指すが、それ以上に、子どもたちの豊かな経験を大事にしたい、と説明してくれた。

波奈は中学校の先生と生徒の説明を聞きながら、どの部にするかを考えた。運動部ならソフトテニス部、文化部なら美術部に興味があった。

ナンデモ研究会のメンバーが、どの部を選ぶかも、興味があった。三人の後ろ姿を、チラッと見て予想をしてみた。

文子は吹奏楽部、悟はサッカー部、研一は卓球部が似合いそうな気がした。

そのとき、ふと思った。

(ナンデモ研究会はどうなるのかな?　みんな部活動で忙しくなって、集まれなくなるんじゃないかしら)

二月にナンデモ研究会が開かれた日は、朝から雨が降っていた。午前十時ごろから急に寒くなり、雨がみぞれに変わり、お昼ごろからは雪に変わった。

「おお、寒いよ」

悟がふるえながら、波奈の部屋に入ってきた。文子が明るい声で言った。

「お天気博士が、寒さでふるえてるなんて、似合わないわよ！」

「お天気博士だって、人間だよ。寒いものは寒いよ！」

文子の追及(ついきゅう)はきびしい。

「勇士としての自覚が足りないのよ」

波奈は二人のかけあいに、割って入った。「ねえ。この前、中学校の先生と生徒の説明会があったでしょう。心配なことがあるのよ」

悟が聞いた。

「何が？」

「ナンデモ研究会は、どうなるのかな？　中学生になると、みんな部活動で忙しくなって、集まれなくなるんじゃない？」

「たしかに。重大な問題だね」

研一がうなずいて言う。

文子が言った。

「私、吹奏楽部に入ろうと思っていたのよ」

「オレ、サッカー部」

「ぼく、卓球部。世界で日本人が活躍してるから。波奈ちゃんは？」

「私、ソフトテニス部か美術部」

波奈は答えながら思った。

（私のカンってすごいな。みんなあたってるわ）

悟が不安げにつぶやいた。

「ホントだよ。どうしたらいいんだい？」

文子も顔をくもらせた。

波奈は自分で言い出しておきながら、この問題は先送りしようと思った。

「ナンデモ研究会存続のピンチね」

「ねえ。この問題は、中学校に入ってからにしましょう。もっとくわしくわかるでしょうから」

文子は気持ちの切りかえが早い。

「そうね。よくわからないのに悩んでも、どうしようもないわよね」

六年生全員で、といっても一組と二組しかないが、六年生を送る会で劇をやることになった。六年生は送られる立場だが、出し物はある。

二月の下旬から練習を始めた。

タイトルは「ヒスイとヌナカワヒメの伝説」だった。古代の日本がたくさんの国々に分かれている時代。諸国の王が、日本を統一支配する力を得るために、ヌナカワヒメと神秘な力を秘めたヒスイを手にいれようと、争うようすを劇にしたものだった。

三月の第一日曜日。ひょうたん池公園では、モクレンの花が春の日に照らされて白く輝いていた。異世界に引きこまれて以来、ナンデモ研究会の定例会はときどき、ひょうたん池公園で開かれる。

二時少し前に、研究会のメンバーが自転車で集まってきた。四人は植物園を散歩しながら対話した。話しあった内容は、記憶力バツグンの文子が、後日、パソコンでまとめることになっている。

ここではいつも、悟の植物談義から始まるのだが、今日はちがった。悟が波奈と文子の顔を交互に見て聞いた。

「驚いたよ。送る会の劇。波奈ちゃんが脚本を書いたのかい？」

「文ちゃんよ。藤山先生と副担任の中川弘美先生が相談したみたいよ。文ちゃんって、いつも静かに本を読んでるでしょう。それで目をつけられたみたいね」

文子が照れくさそうな表情をうかべた。

「ナンデモ研究会で調べたことを、脚本にしただけよ。みんなとの合作みたいなものよ」

研一がうなずいた。

「ぼくには書けないけど、あのモチーフは、古代から現代までずっとくり返されているね」

文子が応じた。

「そうよね。歴史年表は権力争いが主な項目になってるものね」

波奈も対話に加わった。

「歴史年表の裏側には、青山先生の一族と闇の者たちの戦いが、隠されているような気もするわ」

六年生を送る会の劇も、無事に終わった。ナンデモ研究会のメンバーは、四人とも特別な役にはつかなかった。演技者のバックで、コーラスを担当した。なかなか好評だった。

送る会が終わると、六年生は卒業生としての実感がわいてきた。

その日から、卒業式の練習が始まった。卒業証書授与、起立・礼・着席、卒業生の合唱曲、校歌、卒業生の言葉をくり返し練習した。

卒業式当日、波奈は最初、練習の延長のような気がしていた。式が進むにつれ卒業の実感がわいてきた。

卒業式終了後、最後のホームルームがあった。担任の藤山先生の目が、少しうるんでいるような気がした。

しかし、表情はにこやかだった。最後のジョークをとばしてみんなを笑わせた。子どもたちの中には、泣き笑いをしている者も少なくなかった。
藤山先生は最後まで、藤山先生だった。龍神藤山氏ではなかった。

第5章

光と闇（やみ）

1　入学

四月の第一日曜日、ナンデモ研究会が、いつものように波奈(はな)の部屋で開かれた。入学式はまだ行われていない。

悟(さとる)が口火(くちび)を切った。

「ナンデモ研究会は、これからどうなるのかな?　中学校って、忙(いそが)しいんだろう」

文子(ふみこ)が答えた。

「私のおにいちゃんはこの三月に中学校を卒業したけど、土、日も、夏休みもなく、ほとんど毎日学校に行ってたわよ。野球部だったけど」

研一(けんいち)があきらめたような口調で言った。

「そうだよね。もう定期的に集まるのは難しいんだろうね」

四月十日、あたたかな陽ざしを受けて、波奈はカワセミ中学校の門をくぐった。受付で上級生に案内されて、一年一組の教室に入った。

文子がいた。驚(おどろ)いたことに、悟と研一もいた。ただ、二人は、波奈のほうへ視線を向けることはなかった。何も変わっていない。いや知らない子どもたちもいたし、同じ小学校の六年二組だった子どもたちもいた。

教室に担任の先生が入ってきた。大きな体で、ニコニコしながら。

カルガモ小学校から入学してきた子どもたちから、驚(おどろ)きの声が上がった。

「藤山(ふじやま)先生！」

先生から説明があった。小学校と中学校の教員がおたがいに理解を深め、子どもたちの教育に役立てるため、小・中の交流事業が行われていること。期間は一年間だけで、藤山先生はその事業に参加したことなど。

入学式も終わり、翌日からは授業が始まった。小学校では、担任の先生がほとんどの教科を教えてくれたが、中学校では教科ごとに先生がかわった。

藤山先生は理科と道徳だけの担当だった。もちろん学級活動は担任の藤山先生だったが。

あいかわらず、藤山先生は龍神藤山氏(りゅうじんふじやまし)ではなかった。

四人にとって、毎日が新たな経験の連続であった。あっというまに五月の第一日曜日になった。

ナンデモ研究会のメンバーには、なんの連絡もできなかったが、三人とも午後二時には、波奈の家に集まってきた。

波奈にとっては、予想外だった。

「よくみんな集まれたわね」

文子がアッサリと言った。

「吹奏楽部にしようと思っていたんだけど、部活動紹介で『運動部のようなもんです。毎日、朝練・午後練、土・日も、ほとんど休みなしです』って、いうじゃない。だから、演劇部にしたのよ。でも、役にはつくつもりはないわ。裏方専門よ」

研一もすまして言った。

「ぼくね、卓球部じゃなくて、郷土史研究部にしたよ。おもしろそうだから」

「オレはね、サッカー部のつもりだったけど、科学部に変更。だって、農作業を手伝わなきゃね。ウチの親も喜んでいたよ」

波奈も言った。

「私は芸術に目覚めたの。美術部よ」

悟があきれたような顔をした。

「本当かよ？　みんな、とぼけてるよな」

笑いで、波奈の部屋が明るくはなやいだ。今までは、部活動の仮入部期間。明日、月曜日から本入部の受付が始まる。


六月、梅雨の季節がやってきた。蒸し暑く、不快指数が上昇する。特にありあまる力を持て余している子どもたちのストレスが、はけ口を求めはじめる。不穏なエネルギーは、徐々に邪悪なエネルギーに変わっていく。学校の塀の外側からじっとそのようすを見つめている目があった。闇の者は、邪悪を求める者の心に忍びこみ、その者を支配する。

そんなある日のそうじの時間。日ごろからトイレでタバコを吸っているといううわさのある二年生の鬼島竜二が、担当の教師のいないスキをねらって体育館で大暴れした。サボっていることを注意した女子生徒をけろうとし、それを止めようとした男子生徒になぐりかかったのだ。

そのとき、波奈たち四人は体育館わきの花壇で、草取りとゴミ拾いをしていた。

凶暴なエネルギーをとらえた、波奈の心の呼びかけに応えて、なぐりかかった竜二の手もとに、研一がエネルギーをほとばしらせた。なぐりかかられた生徒を守るために、文子が防御のエネルギーを放った。悟もほとんど同時に、鎮めの波動を送った。

ところが三人のエネルギーがはね返されたのだ。

四人がぼうぜんとしているところに、男性教師が数人かけつけた。藤山先生もいた。教師は体罰が禁止されている。体の大きな藤山先生が、素早くもみあう二人の間に入り、竜二をだきかかえるようにして、落ち着くよう説得をした。外の花壇で立ちすくんでいる四人に気がつくと、少し表情をかげらせたが、すぐに目をそらせた。

2 地底のドーム

七月の第一日曜日、ナンデモ研究会の定例会の日は、梅雨の晴れ間だった。

話しあいが始まる前に、文子から提案があった。

「私たち、気分転換が必要かもね。これから、またひょうたん池公園に行ってみない？」

研一が同意した。

「ぼくもこのところ、休みの日はずーっと自分の部屋にこもることが多かったから、賛成」

波奈も同じ気持ちだった。

「待ち合わせ場所は、いつもの植物園の入り口でなく、ひょうたん池のほうの駐車場ね」

悟と研一が先に家を出た。文子と波奈は五分遅く出発した。

公園に着くと、駐輪場に自転車を置き、悟を先頭に九頭龍池に向かった。ヤブガラシの花に、昆虫がむらがっていた。悟は今は昆虫博士になっていた。

「このカナブンのようなやつ、きれいな緑色だろう。コアオハナムグリ。小さいオレンジ色のチョウはベニシジミ。ミツバチも多いね。ヤブガラシはあっちこっちではびこって、人にはきらわれているけど、この時期、昆虫にはこの花の蜜は貴重な食糧源なんだ」

みんな素直に興味を示していた。文子はベニシジミが気にいったようである。

「きれいね。深みのあるオレンジ色だわ」

悟の鼻も別に高くならなかった。九頭龍池を過ぎ、メタセコイアの並木を通った。波奈はふさいだ気持ちがやわらぐのを感じた。

研一が言った。

「ほんとに青山先生って、どこにいるんだろうね?」

文子が波奈を見た。

「波奈のおじいちゃんは、きっと知ってるよね?」

悟が立ち止まって言った。

「ちょっと聞いて、オレの思いつき。前に話したけど、みんなに無視されたやつ。聖地は異世界への門。聖地と聖地を結ぶ線は異世界の道。

今日は、もう一つ付け加えるよ。縄文時代からヒスイの運ぱんなどで海の道、陸の道が開かれていたという仮説を、ナンデモ研究会としてたてたけど。さらに追加! 縄文時代から、異世界の道が網の目のように開かれていた」

悟のとっぴな仮説に、三人はしばらく沈黙した。

文子がなぐさめるように言った。

「悟くんは、ときどきヒットをとばすこともあるけど、今のはちょっと飛躍(ひやく)しすぎよね。海の道は丸木舟(まるきぶね)、陸の道は歩き、異世界の道はどうするの？」

「瞬間移動(しゅんかんいどう)！」

三人があきれた表情をすると、

「理由はあるよ。姿は見せないけど、青山先生はいきなり出現するよね。声と気配で。積乱雲(せきらんうん)のピカゴロのときの龍神藤山氏(りゅうじんふじやまし)もそう。どう？」

だれも、何も言わなかった。

悟は三人の沈黙(ちんもく)に、こんどは動じなかった。

「急だけど、今から青山先生のところに行こうよ。聖地をつなぐ道を使って」

三人が黙(だま)って顔を見合わせていると、悟が言った。

「ナンデモ研究会の基本方針があったよね。常識にとらわれないこと。直感を大事にすること。オレの思いつきを試そうよ」

四人は広場に向かい、岩のモニュメントに近づいた。午後三時前だった。

岩の東西南北に一人ずつたたずむと悟が声をかけた。

「いいかい！　岩に手を添えて集中するんだ。思いうかべるのは、新潟の波奈のおじいちゃんの家の庭のツツジ岩だよ。ゴー！」

風景がゆれた。


四人の目の前に、ツツジに囲まれた岩があった。畑のほうで近所の人と話しているおじいちゃんの大きな声が聞こえた。

「やったー！」

悟が叫んだ。

波奈を先頭に四人で、家の裏を回って畑のほうに向かった。おじいちゃんがカマを手にして、となりのおじさんと話をしていた。

「おじいちゃん！」

波奈が声をかけた。

ふりむいたおじいちゃんのびっくりした顔。

となりのおじさんは驚きもせず、波奈たちに声をかけた。休みを利用して、バスで来たとでも思ったのだろう。

「やあ、いらっしゃい。去年も来たよね。こっちも暑いでしょう」

四人とも声をそろえて、あいさつした。

「こんにちは」

おじいちゃんはタオルを取り出し、顔の汗をふきながら、四人を家のほうにみちびいた。

玄関から入り、居間に落ち着くと、大きなため息をついた。

「驚いたねー。どうやって来たのかな?」

波奈が答えた。

「悟くんの思いつきを試したの。ひょうたん池の岩のオブジェから、この家のツツジ岩を目指して瞬間移動。本当にできちゃった。私たちもビックリ!」

「おやおや、とんでもない子どもたちじゃのう」

「私たち、青山先生に会いたいの!　知っているんでしょう!　おじいちゃん!」

「……。やれやれ、しかたないのお。まだ早いような気がするが、しかたない。ついてきなさい」

おじいちゃんの車に乗りこむと、車は沢に沿った道をのぼりはじめた。深い谷が細くなり、源流に近くなった。車が止まった。その場所を波奈は知っていた。いつも山菜をとるところだった。

「山の神」と、教わった石のほこらの前に、おじいちゃんはたたずんだ。午後三時半になっていた。

「みんなおいで。何も念じなくてもいいよ。ただちょっと目をつむってごらん」

四人が目をつむり、再び目を開けると、そこは広いドームの中だった。中央に美しいヒスイの岩が置かれていた。

やわらかな明かりが、あたり一面を照らしていた。ドームには、いくつかの通路につながる門のようなものが開いていた。

その門の一つが、うす緑色にそまった。白く輝く衣をまとった女性が、にこやかにほほえみながら現れた。

四人は一斉に声を上げた。

「青山先生！」

波奈は、次の言葉が出なかった。懐かしい思いで心がいっぱいになった。ほかの三人も同じ思いでいるようだった。だれも何も言わなかった。

青山先生も、おじいちゃんと同じように、深くため息をつきながら言った。

「だいたんな子どもたちね、あなたたちは。でも、本当は待っていたんだけどね。思ったより早かったわ」

「あなたたちの案内人は、何も教えていないようだから、これから少し、話をしましょう。質問があったら。話の途中でも聞いてね」

「このドームは地下の奥深くにあるの。いくつか門が見えるでしょう。あれは別なドームへの通路。ここにはこのようなドームがいくつかあるの。これから案内するわ。ついてきて」

ゆっくり歩きはじめると、さっそく悟が質問した。

「照明の電源は？　自家発電ですか？　水力、火力、原子力？」

「どれでもないわ。太陽の光と発光性の微生物の光だけ」

悟が首をかしげた。

「地下まで、どうやって光をみちびくんだろう？」

「自然の岩石の性質を利用するだけ。そうね、悟くんの知っている科学的な仕組みとは、かなりちがうけどね」

「地上では、自然の現象や仕組みを研究して、いろいろ人工的につくるでしょう。ここでは、自然をそのまま利用するのよ。波奈ちゃんのおじいちゃんが研究しているのよ。ね、星野博士」

波奈はおじいちゃんを見た。おじいちゃんはいつものようにとぼけた表情で、上を見ていた。

青山先生はゆかいそうにほほえみながら、話を続けた。

「私たちの先祖は、ヒスイの加工技術者集団だったのよ。青銅器や鉄の文化に一時は追われたわ。それで一族はいろいろ分かれたのよ。出雲の国に行った部族もいるし、佐渡にわたった部族もいるわ。信濃に逃げた部族もいるの。私たちはこの谷間にひそんだの。糸魚川にもどった部族もいるけどね」

研一が深くうなずいた。

「悟くんの調べた黒姫という地名の分布と重なるね」

四人は顔を見合わせた。青山先生が悟を見つめ、また話しはじめた。

「それぞれの部族の祈りを司る者を、代々黒姫やヌナカワヒメと呼んでいたのよ」

いつのまにか、一行は別のドームに入った。壁面に巨大なスクリーンがたくさん並んでいた。その一つをみどりは指さした。四人はそこに映されている風景に、見覚えがあった。

文子がつぶやいた。

「ひょうたん池公園じゃない？」

「見ててごらん。ほら」

みどりが指の先を動かした。

文子が、またつぶやいた。

「スマホみたい。画面が自由に縮小・拡大できるのね」

映し出された風景の中を、赤と緑の輝く点が動き回っていた。

研一がたずねた。

「赤と緑の光の点は、なんですか？　大きくなったり、小さくなったりもしているみたいだけど」

「簡単に言えば善と悪のエネルギーね。でも本当は、エネルギーに善悪はないのよ。たとえば巨大な自然のエネルギーは、人間に豊かさをもたらすこともあるけれど、大きな災害をひきおこすこともあるわ。すべてそうなの」

波奈は画面をじっと見つめた。そこにひときわ明るく輝く強い緑の光があった。

「気がついたみたいね。そう、あの輝きが藤山先生よ。巨大なエネルギーを秘めているの。でも、本人は自分でその力を封印しているのよ」

文子が不思議そうにたずねた。

「どうしてなんですか？」

「龍神藤山氏は、人の心を深く見透かすことができるのよ。善の奥にひそむ悪を見るし、悪の奥深くで、小さくなっておさえこまれている善も見つめているのよ。大きな慈愛の心でね。

闇の者を引き寄せるほどの邪悪な心の持ち主は、不幸な事件や生い立ち、貧困などが重なり、徐々に善の心がかたすみに追いやられて、悪の心が大きく育ってしまっている人なのよ。

悪を背おわざるをえなかった人々への深い悲しみを、龍神藤山氏は感じているのね。

あなたたちが生死の危険にみまわれたときには、守護神として姿を現したけど、ここには訪れたこともないわ。案内人なのにね。困ったものだわ」

不意に、四人の背後からおじいちゃんの声がひびいた。

「ヒメ！　いつも波奈たちのまわりでようすをうかがっていた、例の闇の者の光が大きくなりはじめましたぞ」

「龍神藤山氏が力を封印していることをいいことに、何かをたくらんだようね。四人にはもっと別なドームも案内したかったのに、その余裕はなさそうね。あなたたちの今の力では、あの闇の者と戦えそうもないから、二つだけ助言するわ。あなたたちも少し気がついているようだけど、四人で力を合わせること。それから一人ひとりが自分の神器を心の中で強くイメージすること。パワーアップするわよ。さあ、時間がないわ。目をつむって」

3 闇の者との戦い

そのとき、空間のゆらぎを感じた。次の瞬間に、波奈は手に岩はだを感じた。目を開けると、ひょうたん池公園の岩のモニュメントが、目の前にあった。午後四時を過ぎていた。

ほかの三人もいた。おたがいに黙ったまま、しばらく岩のまわりで立ちすくんでいた。

闇の者のエネルギーを、最初にキャッチしたのは、波奈だった。

「遠いわ。入間川の河川敷よ。ネムノキ公園より、ずっと下流のほうだわ」

悟が駐車場に向かって走った。三人もあとを追った。自転車を取りに。

四人は自転車で入間川の河川敷に出ると、土手沿いの自転車・歩行者用の遊歩道を下流に向かって急いだ。

ヤナギ大橋の下を通過すると、下流の河川敷に人の群れを見つけた。アシが茂った見通しの悪い河川敷だった。三十数人ほどの少年たちが集まっているのが見えた。手には金属バット、鉄パイプや木刀を持ち、二手に分かれて、にらみあっていた。

双方ともに、邪悪なエネルギーを放っていたが、闇の者の巨大なエネルギーがそれを雲のように厚くおおい、双方の憎悪をさらに高めていた。

研一のメガネの奥の瞳が、強く光った。

「古代の小国どうしの争いと同じだよ」

文子がうなずいた。

「統合して、さらに大きくするつもりね」

悟が短く同調した。

「ねらいはそれだね！　オレがつぶすよ！」

悟が目を閉じ、集中した。悟から発生した波動が、闇の者のエネルギーがつくり出す憎悪の雲を包みこんだ、と三人は思った。

その瞬間、憎悪の雲がどす黒さを増し、大きくふくらんだ。悟がよろけた。四人の心に闇の者の、皮肉をこめた冷ややかな笑いがはじけた。

波奈が叫んだ。

「悟くん！　だいじょうぶ？」

文子が早口でささやいた。

「四人の力を合わせるのよ！」

悟を三人で囲んだ。

「もう一度やるよ！　みんなのエネルギーをオレに！」

悟が再び目を閉じ、祈った。みんなのエネルギーが悟に集まり、悟から強く輝く波動がほとばしり出た。

闇の者の憎悪の雲が、光で包みこまれた。


遠くから、パトカーのサイレンが聞こえ、大きさを増した。三十数人の少年たちが、ちりぢりに逃げ出した。

上空から闇の者の声が聞こえ、四人の心に冷たくひびいた。

「まさか、私を破ったとは思っていないだろうな。パトカーのサイレンに、あいつらが反応しただけだ。そんなパワーじゃ、私には通用しないよ」

冷ややかな笑いを残し、闇の者の気配が消えていった。

悟が頭をかきながらぼそっと言った。

「ゴメン。オレってまぬけだな。青山先生に教わったこと、すっかり忘れていたよ。神器のこと」

文子がなぐさめた。

「そうよ。まだ、負けたわけじゃないわ」

研一がまわりを見回して、静かに話した。

「このあたりは古代、豪族どうしが競いあっていたところだ。たくさんの古墳があったんだ。対岸の台地にも大きなものが見つかっている。勾玉も出土している」

両岸の古墳群の上空から、波奈に向かってやわらかな光の波が押し寄せてきた。波奈が両手で、それを受け取るように手のひらを広げると、光の波が波奈の心の中に形を現しはじめた。やわらかな光沢のヒスイの玉だった。

「ヒメ、波奈にようやくヒスイの力が降りたようですな。輝きが増してきおった」

ドームの中で、波奈のおじいちゃんがスクリーンをじっと見つめていた。

「波奈ちゃんの波動に感応して、まもなく三つの神器（じんぎ）も、あるべきところに降りてくるでしょう」

「うれしいことだが、危険ですな」

「そうね。これで闇（やみ）の者たちも四人をほっとかないでしょう。今までは監視者（かんししゃ）をつけて、ときどき四人の力を見ていたようだけど、より強大なエネルギーをあやつれる者をさし向けてくるでしょうね」

「龍神藤山氏（りゅうじんふじやまし）にも、そろそろ封印（ふういん）をといてもらわねば」

「それは、なかなか難しいことね」


九月一日、二学期が始まった。子どもたちのテンションは、小学校ほど高まらなかった。運動部や吹奏楽部（すいそうがくぶ）など、ほとんど毎日登校していたからだ。

波奈が教室を見渡すと、文子は一人静かに読書中。悟と研一は二人だけの静かな空間をつくっていた。波奈を見ることさえしない。いつものことではあっても、思わずため息が出てしまう。

給食準備中に、となりのクラスの権田猛(ごんだたけし)がふてくされたようすで階段を上がってきた。廊下にいた波奈の前を通り過ぎて、二組の教室に向かった。

波奈は一年前のことを思い出した。いじめグループのボスだった猛が、夏休み中のあるできごとをきっかけに、ボスの立場がゆらぎ、みんなの逆襲(ぎゃくしゅう)を受け、おびえて大きな体を、小さくちぢめていた姿を。

猛はカワセミ中学校に入学してから一か月もしないうちに、二年生の鬼島竜二に近づいた。自分と同じ匂(にお)いがしたのだ。といっても、自分とはけたがちがうやつだった。竜二は異様なほどの邪悪(じゃあく)なエネルギーを放っていた。

竜二は一匹(いっぴき)オオカミのように単独で行動していたが、猛は元のとりまき連中を集め、竜二の子分のようにふるまった。

猛のとりまきだった一人が、市内の別の中学校に入学していたため、その学校の不良グループともつながりができた。

六月の終わりころ、そのグループから、応援(おうえん)を頼まれた。ほかの市の不良グループとのけんかだ。猛は竜二にも助けを頼んだ。対決の日時は七月の第一日曜日午後四時半。場所は入間川の河川敷。双方、金属バットや鉄パイプなどを手に集まってきた。竜二は木刀を持って現れた。

双方のグループはにらみあっていたが、竜二が発散する邪悪なエネルギーは、他を圧倒する力があった。猛は相手のグループが、そわそわしているのを感じた。

パトカーのサイレンが遠くから聞こえるやいなや、少年たちはクモの子を散らすように、一斉に逃げ出した。

猛はあらためて、竜二のカリスマ的な邪悪な力を実感した。竜二は人と群れることに、関心を示さなかったが、猛は竜二の力を背景に、長い夏休み中に、いくつかのグループをまとめ、次々と勢力をのばしていった。

夏休み最後の日も、猛は夜遅くまで不良仲間とコンビニの前でたむろしていた。そのため九月一日の朝も、猛は起きるのが遅かった。あきらめたのか、もう母親も文句を言わなくなっていた。テーブルの上にも冷蔵庫の中にも、食べるものが何もなかった。今日から学校も始まっている。始業式も終わり、そろそろ給食準備中だろう。行けば給食がある。めんどうくさかったが、十一時半ごろ登校した。

「おはよう。給食を食べにきたの?」

洋子(ようこ)だ。うるさいやつだ。小学六年生のとき、転校してきた。元いじめグループのボスだった猛を、初めから怖(こわ)がりもしなかった。どうも苦手なやつだ。中学校に入っても同じクラスになった。明るく活発で勉強もよくできる。

夏休み中に他校の不良グループから、うわさを聞いた。いっときは、そいつらとつるんでいたこともあったそうだ。洋子がそいつらから抜(ぬ)けて逃(に)げ出したので、こんど呼び出してボコボコにしてやると言っていた。

そいつらはもう、オレの子分のようなものだ。洋子に手を出したらおまえらをボコボコにしてやるといっておどかした。オレは別に洋子の友達でもなんでもないが、なぜかそう言ってしまった。

「なにブスッとしてるの。返事ぐらいしなさいよ」

「うるさいな」

「ごあいさつね」

うざいやつだ。まったく。給食を食べたらもう用はない、さっさと帰ろう。

4 見せられた闇の世界

給食の時間も終わり、みんな一斉に校庭に出ていった。研一と悟はいつものクスノキの下で座りこんだ。文子は机の上で本を開いた。

波奈は教室の窓から校庭を見おろしていた。いつもの光景だった。

しかし、波奈は何か違和感を感じた。目の前の風景がゆらいだ。よどんだ空気中に邪悪なエネルギーが満ちてきた。

悟から心の声が届いた。

「何か変だよ」

クスノキの下で、悟と研一が顔を見合わせていた。ふり返ると、読書中の文子も顔を上げて波奈を見た。

地の底からとどろくような冷たい声が、頭の中にひびいてきた。

「ようこそ、谷の民の血をひく者たちよ。われわれ闇の者の住む世界で、世の人々の本当の心をお見せしよう。よーくごらんなさい」

再び校庭を見おろすと、四人をのぞくほかの子どもたちは、いつものように笑い声を上げながら、サッカーやバレーボールに興じていた。

が、笑顔の裏に怒り、ねたみ、にくしみ、さげすみ、あざ笑いがどす黒く渦巻き、にごった悲しみが隠されていた。そればかりでない。文子、研一、悟の心にさえ。もちろん波奈自身でさえ心の中に闇があった。

波奈は心の目を閉じたかった。しかし、閉じることはできなかった。

文子も悟も研一も、苦しそうだった。

「ふふふふふ。よーくわかったようだな。おたがいの心の奥をよく見ることだ。これが人々の本当の心であり、世の中の姿だ。たがいに信じあうことができず、人と人が争いあうことが真のありかただ。よけいなことはしないことだな」

校庭では、子どもたちが笑い声を上げながら、サッカーやバレーボールを楽しんでいた。

クスノキの下で、悟と研一はぼうぜんとしていた。文子は机の上の本を開いたまま、目はぼんやりとしていた。波奈はふらふらと教室から廊下に出て、校舎の裏を流れているコブナ川をぼんやりと見おろしていた。

波奈がふと意識をとりもどすと、洋子を連れてコブナ川に向かっていく竜二が見えた。それを猛が追っていた。波奈の心の目には土手の下も見えた。

そこには、例の五人組がいた。竜二が笑いながら、洋子を彼らのほうへ押しやった。

ようやく追いついた猛が、竜二に頭を軽く下げ、五人組をどなりつけた。

「洋子に手を出すんじゃない！」

すると竜二は笑いながら猛の胸ぐらをつかみ、なぐりつけた。五人組がたおれた猛を指さし、ニヤニヤ笑っていた。

洋子に危険が迫った。だが、近くの住人から学校に通報があったようだ。男の先生が数人かけつけた。五人組は逃げ出し、残された洋子、竜二、猛の三人は教師に囲まれて校舎のほうに向かった。

波奈は、一部始終を心の目で見ていたにもかかわらず、身動きできなかった。

昼休みの時間が終わり、子どもたちは教室にもどりはじめた。

何事もなかったような顔をして、洋子が一組の教室前の廊下を通り過ぎるのを、廊下にいた波奈はぼんやりと見た。外を見ると、猛がうつむきかげんに校門から出ていくのが見えた。


翌日、給食準備中に猛が現れた。猛の顔は見られたものではなかった。まぶたは赤黒くはれ、くちびるも切れたあとがあった。

教室前の廊下にいた生徒たちは、猛が通りかかるとよけて道をあけた。話しかける者はいなかった。

波奈もサッとよけた。そのとき、二組の教室から洋子が出てきた。

「あら、その顔どうしたの？　だいじょうぶ？」

「うるさい！」

「保健室で診てもらったほうがいいんじゃない？」

「よけいなお世話だ！」

「だめよ、来なさい！」

「痛い！　さわるな！」

猛の腕を引っぱって、洋子は階段に向かった。まわりの子どもたちは、あっけにとられた表情で二人を見送った。

「私たちってダメね」

文子のため息をつくような心の声が、波奈に届いた。研一と悟は、文子や波奈のほうを見なかったが、二人の心のつぶやきは届いた。

研一はため息をつきながら、

「まったくだ。洋子のほうがしっかりしてるよ」

悟は自分の額を軽くたたきながら、

「ほんと、オレたちなさけないよな。人の心に善悪どっちもあるのはあたりまえのことなのに、闇の世界でみんなの心の中の闇を見せられて、ショックを受けてしまったもんね。善悪ともにあるからこそ、オレたちは戦わなければいけないのにな」

波奈は悟の言葉にうなずくと同時に、驚きで、心の目を大きく見開いた。文子、悟、研一の心が強く輝きはじめたのだ。そして、それぞれの神器がはっきりと形になってきた。光を帯びた神器「鏡」「銅たく」「剣」がそれぞれの心にたしかにおさまった。

再びまわりを見回すと、そのことにだれも気づいていないようだった。給食の配膳が終わり、当番の発声にみんなの声が唱和した。

「いただきます！」

ドームの中で、みどりとおじいちゃんが顔を見合わせていた。

「危なかったわね。もう少しで四人の心が、闇の者の手に落ちるところだったわ」

「そうじゃ。闇への道は、疑うことから始まるからのお。洋子という少女の行動が、彼らをこちらにつなぎとめたようだな。しかし、洋子という少女はたいしたものじゃな。ご両親の不和は、子どもの心に大きな傷をおわせるものだが。強いのお」

「彼女も、未来を照らす、ひと筋の光ですね。谷の民のほかにも、闇の者と戦える力を持った者がいると思うと、気持ちが明るくなります。今はまだ、巨大な力を自ら封印している藤山先生も、いざとなれば、心強い味方ですもの」

キンモクセイの香りが、あたりにただようようになった。十月の第一日曜日、四人はめずらしく入間川沿いのネムノキ公園で、研究会を開いた。

目的は台風のつめあとを見ることだった。その台風は日本を縦断し、全国のいたるところに大きな被害をもたらした。特に数十年に一度と言われるほどの雨量で、大小の川が氾らんして、道路や線路が復旧の見通しが立たないほどの被害が出た。

公園内を流れている小川でさえ、氾らんの傷あとがあった。大量の土砂とともに、大小の流木がたくさん積み重なっていた。四人は、災害時の巨大なエネルギーに圧倒された。

悟が流木にさわりながら言った。

「自然の巨大なエネルギーについて、青山先生が何か話してくれたよね。えーと」

文子が暗唱するように続けた。

「でも本当は、エネルギーに善悪はないのよ。たとえば巨大な自然のエネルギーは、人間に豊かさをもたらすこともあるけれど、大きな災害をひきおこすこともあるわ。すべてそうなの」

「それそれ。文ちゃんって記憶力バツグンだね。うらやましいよ。あれ？　オレ、何を言おうとしてたんだっけ。文ちゃんの記憶力に感心して、言おうとしてたことを忘れちゃったよ」

文子があきれたみたいに両手を広げ、首をかしげた。

「自然のエネルギーに善悪はないけれど、それを受ける人間が善にも悪にもしてしまうってことを、言いたかったんでしょう？」

「ピンポン！　そうそう、それだよ」

研一が話に加わってきた。

「ぼくもそう思うことが多いね。災害だって、病気だって、それを悪いことに利用する者が必ず出てくるからね。被災者のための支援金だって、ごまかして自分のものにしたり、悪いことに利用されたりするし」

波奈も日ごろから心を痛めていることがたくさんある。

「一人暮らしのお年寄りをねらったサギ事件も多いよね。幼い子どもをねらった犯罪も後を絶たないし」

文子もまゆをひそめた。

「人間の心の闇って、恐ろしいよね。闇の者の世界で見たことを、思い出しちゃうわ」

5　闇の世界のようなできごと

四人の心のダメージの十分な回復を待たずに、新たなできごとがしのび寄ってきた。ことのはじまりは、北の国や高山の初雪のたよりとともにやってきた。インフルエンザの話題にまぎれて。目に見えないほど小さなウイルスがもたらした、一人の高齢者の肺炎症状だった。

当初、それほど大きな話題にならなかった。その静かな時間の経過の中で、小さなウイルスが感染・増しょくし、気がついたときには、社会の根底をゆるがすほどの脅威になっていた。

状況が悪化する中で、ナンデモ研究会の四人は目をみはった。闇の者の世界が、現実の世界に現れてきたように思えたのだ。四人もそれぞれ異常な状況に巻きこまれていった。

都内の感染者数の増加の中で、文子の父は感染の危険をおかしながらも、会社に通わざるをえなかった。製造課の課長のため、政府や都知事のすすめるテレワークは困難だった。それどころか、工場内でウイルス感染予防対策と生産管理に追われた。

日ごろのつきあいがある近隣の住民は、文子の父親が、都内に通勤していることを知っている。はじめのころは、「大変ねぇ」と言っていたが、しだいに文子の家族をさけるようになった。

状況はどんどん悪くなった。駐車場の車が傷つけられたり、塀や壁にイタズラされることも多くなった。世間でも、自警団などと呼ばれるグループの過激な行動が、話題になってきた。

学校も臨時休校となったため、文子がいじめにあうことはなかったが、外に出られる状況ではなかった。

研一の父も、都内に通勤している。本屋の店長だから、こちらもテレワークなんてできない。

都内への人出も減り、本の売り上げも大きく減少した。アルバイトのスタッフも感染リスクの高い電車通勤をきらい、人手も不足した。そのため店長である父と、数名の正社員の負担が増した。研一の家も、文子の家と同じような状況だった。

波奈の両親は小学校の先生だ。職場は臨時休校といっても、教員は出勤している。政府および県や市の教育委員会からの変更につぐ変更、さまざまな対応策など、混乱を含む指示を受けながら悪戦苦闘していた。

保護者からの苦情や相談も多い。休みの日の自宅にまで電話がかかってくる。

大小の民間企業が置かれている状況も、急激に悪化した。職を失う人々も少なくない。学校があずかっている子どもたちも、その影響を強く受けている。まさに異常事態であった。

悟の家は農家だ。この異常事態の中で、野菜の出荷量が急激に減った。学校給食の停止が大きくひびいた。早い収束を願いながら農作業は続けた。家のまわりの広い畑なので、人との濃密な接触はさけられる。

悟はもともと学校に行くより、畑や林で過ごしているほうが好きなので、臨時の休校には困らなかった。

入学式や始業式も行っていないのに、四人は中学二年生になった。五月の終わりに異常事態宣言が解除されたので、六月の第一日曜日にナンデモ研究会を開催した。会場はひょうたん池公園。

園内を散歩している人たちもまばらだった。ひょうたん池では、カルガモも見られなかった。

文子が悟にたずねた。

「カモがいないわね。どこへ行っちゃったの？」

「え？　来る途中で見なかった？」

「気がつかなかったわ」

「田んぼの中か、畔にいたと思うよ。ただ、畔でじっとしていると、気がつかないかも。カルガモって、茶色っぽいだろう。保護色なんだよ。畔の色と似ているからね」

「保護色ね。なるほどね。ウチもまわりと同じなら目立たなかったのに、ひどいもんだったわ。まだ、現在進行形だけどね」

研一もうなずいた。

「ウチもだよ。びっくりしたよ。差別やいじめって、こうやって起こるんだってことがよくわかったよ」

「オレもびっくりしたよ。農家だとすぐに仕事がなくなるってことはないけど、テレビを見ているとすごいね。いきなりいろんな仕事がなくなるんだね」

研一が続けた。

「そう。特に都会の生活って、不安定なものなんだなって思ったよ。繁栄(はんえい)し、安定していると思っていたことが、急に足もとからくずれるんだね」

文子が少し暗い目をした。

「災害や戦争も同じね。そんなとき、人間の弱さやみにくさが、ロコツにあらわになるのね。闇(やみ)の者たちがほくそえんでいるようすが目に見えるようだわ」

波奈もそのとおりだと思った。

「負けちゃいけないわね。社会の異常な事態は、必ず学校にも強い影響が出るわ。そこに闇の者たちがつけ入ってくるわね」

翌日から学校が始まった。波奈は起きてすぐに体温を測り、健康観察カードに記入した。保護者の記入欄もあった。

校門前にはマスクをした先生方が並び、子どもたちから健康観察カードを受け取って、健康状態を確認していた。

健康観察カードを忘れた子どもたちは、養護の先生の前に間隔をおいて並んで、順番に額にデジタル体温計をかざされ、体温を測られていた。

玄関や手洗い場には消毒液が置かれ、手を消毒してから教室に向かった。教室内も座席が指定され、子どもたちどうしが二メートル離れるようになっていた。

文子はいつものように、一人静かに本を読んでいたが、悟と研一はぎこちなく距離をおいていた。

朝、おかあさんが言っていた。

「波奈の学校はよそよりいいのよ。大きな学校では、二つのグループに分けて、午前と午後の分散登校をするみたいよ」

カワセミ中学校は小規模校で、各学年二クラスしかなく、教室数も余裕があった。それぞれのクラスを二つの教室に分けて、子どもたちの距離を確保できた。

ただ、先生の人数は増えたわけではないので、当分の間は、分けた二つの教室を行き来しながら、勉強を教えてくれることになった。

部活動も人数が少ないので、子どもたちの間隔をあけて活動することができた。しかし、この状態は、慣れ親しんだ今までの日常とは、明らかにちがっていた。

波奈が予期したように、このような異常事態を、闇の者が見過ごすはずがなかった。

6 光と闇

竜二の父は、都内に居酒屋を五店、実用書専門の出版社を一社経営していた。近年、本の売れゆきはふるわなかったが、居酒屋は順調に売り上げをのばしていた。ところが異常事態宣言の発令で、壊滅的な打撃を受けた。

竜二の父は、もともと家にはほとんど寄りつかず、帰ってきても、酔っぱらっていることがほとんどだった。そして母と竜二にいつも暴力をふるっていた。竜二は父が家にいない日は、心が落ちついた。

その父が行くところがなくなったのか、しょっちゅう帰宅するようになった。いつも酔っていて、母と竜二に暴力をふるって、怒りを発散していた。竜二は中学三年生になって、体も大きくなり、腕力もあったが、まだ、父が怖かった。

竜二の心はすさみ、心の闇は深くなった。闇の者は竜二の心の奥深くに侵入した。

竜二はもともと、群れることを好まなかったが、竜二の邪悪なカリスマ性を猛が利用して、不良グループを拡大していた。竜二の心にひそんだ闇の者は、ぬかりはなかった。沿線のいくつかの市にまたがっていた不良グループのすべてを、実質的に支配した。

闇の者は、竜二を通して猛と各市の不良グループのリーダーに指示を出した。各地にできた、自警団を装い、地域の住民に不安と混乱、たがいの不信感をあおっていった。

自粛が要請されている飲食店が営業をしていると、いやがらせの言葉が書かれた紙が貼られたり、シャッターが壊されたりした。

車が他県のナンバーの場合には、車の窓ガラスが割られたり、傷つけられたりした。ウイルス感染者が発生すると、その家族がいやがらせを受けた。医療従事者や都内への通勤者の家族も標的にされた。

文子や研一の家にも、いやがらせの電話や「登校するな」などのメールがたびたび届けられた。


六月中旬の日曜日、ナンデモ研究会が臨時に開催された。集合場所はひょうたん池公園の植物園側の駐車場。集合時刻は二時。

一人ひとりが身辺に気をつけながら、時間どおり集まった。異常事態宣言の解除を受け、ひょうたん池公園は開園していた。

四人は会っても、しばらくだれも口を開かなかった。キャラボクの前を通り過ぎ、コウヤマキ、アカマツ、クロマツの前も、黙ったまま通り過ぎた。ヒノキの前でようやく悟が口を開いた。

「文ちゃん、研ちゃん、大変だったよな。オレ何もできなかったけど」

二人とも無言だった。また、悟がうなだれながら、つぶやくような声で言った。

「オレって、ナンデモ研究会の勇士のはずなのに、何もできなかったよ……」

文子と研一が声をそろえて言った。

「おんなじ」

波奈はようやく口を開いた。

「私も同じ。それで、考えてみたの。今まで、どんなときに力を出せたか。いっしょにいるときだけじゃない？」

研一がうなずいた。

「そう。言われてみると、いつも四人がいっしょにいるときだね」

文子が額に当てていた手を離し、少し間をおいてからゆっくりと話した。

「思い出したわ。私たちが初めて異世界に招かれたとき、青山先生が言っていた言葉」

波奈は文子の口もとを見つめた。

「そのまま言うわよ。『あなたたちナンデモ研究会の四人には、勇士としての力が秘められていて、そろってその力を発揮でき、おたがいに心の声を伝えあうことができる』だったじゃない？」

悟が頭をかきながら言った。

「オレ、勇士としての力が秘められている。という言葉しか覚えてないよ」

研一がメガネに手をふれながら言った。

「ぼくも一つ一つの言葉までは思い出せないな」

波奈も正確には思い出せなかった。あらためて、文子のすぐれた記憶力に感心した。

「やっぱり文ちゃんね。さすがだわ。でも、ヒントはどの言葉？」

「『そろって』の部分よ。私は声の大きさがそろって、のように同じとか等しいの意味で理解していたのよ。でも、必要な物が全部そろって、の意味だったのね」

悟がうなずいた。

「そうか、四人がそろわないとオレたちの秘められた力は、発揮できないんだ。不便だよな」

研一が頭をふった。

「いや。そのほうがいいのかもしれない。四人そろえば、特別な力は、もっと正しく使われるんじゃないかな」

文子も同意した。

「そうね。安全装置は必要ね。特に悟くんには絶対必要」

悟は口をとがらした。

「どういう意味？」

「カミナリ事件もあったしね」

「またかよ。もういいかげん忘れてくれよ」

波奈は笑いながら言った。

「それは無理。文ちゃんの記憶力（きおくりょく）って、天才級よ。ところで、ナンデモ研究会の私たちはこの異常事態で、何かできないの？　もちろん四人そろってね」

四人は植物園を出て、緑の相談所の脇（わき）から広場を見おろした。広場の先に岩のモニュメントが見えた。

いつものように悟を先頭に左側の小道を下りた。広場に出てモニュメントに近づくと、四人は分かれて、丸みを帯びた立方体の東西南北の面に立った。四人は岩に手をふれた。

その瞬間、全員の心にある情報が流れこんだ。

竜二が闇の者にあやつられていること、竜二が広域にわたる不良グループを支配下に置き、自警団をよそおって、人々の不安、不信、憎悪の心をあおっていることなどであった。

四人は去年のできごとを思い出した。そうじの時間の竜二の暴力事件を。あのとき、竜二の暴力から被害者を守れなかった理由を理解できたように思えた。おそらく、竜二の心の中に、闇の者がひそんでいたのだ。

四人の次の課題がはっきりした。それは、竜二の心の中にひそむ闇の者を追い出すことだ。

竜二はいくつかの市の不良グループを支配下においたが、猛を表に立て、自分は目立たないようにしていた。トイレでタバコを吸うのもやめた。服装の乱れも、それほど目立たなくなった。

カワセミ中学校は学年ごとに階を分けていた。四階が一年生、三階が二年生、二階が三年生である。トラブル防止のため、部活動の連絡をのぞいて、行き来は制限されていた。

四人が竜二のようすを観察できるのは、お昼休みの校庭しかなかった。

梅雨の晴れ間が二、三日続いた。昼休みに校庭で、竜二が三年生の男子生徒とサッカーをしていた。笑顔も見られた。ナンデモ研究会の四人は、竜二の心の奥(おく)を探った。

笑顔の裏には、竜二のすさんだ心が隠(かく)されていた。闇(やみ)の者の気配は濃厚(のうこう)に感じられたが、竜二の心の奥深(おくふか)くにひそみ、姿を隠(かく)していた。

しかし、波奈は闇(やみ)の者との戦いが近いことを予感した。


その日は、雨は降っていなかったが、朝から湿度(しつど)が異様に高く、気温も高かった。ちょっとしたきっかけで、いつトラブルが起きてもおかしくないような不快な日だった。

いつものように、猛が給食の準備中に登校してきた。偶然(ぐうぜん)なのかわざとなのかわからないが、洋子が二組の教室から出てきて、一組の前の廊下(ろうか)を通り過ぎようとした猛とはち合わせた。

「おはよう。また、給食を食べに来たのね」

「うるさい!」

「うるさいはないでしょう。あいさつぐらいしたらどう?」

「ウザいなぁ」

二年生にとっては、もう見なれた光景だった。そこに、別の声が混じった。

「おい！　猛！」

廊下にいた二年生が、驚いて声のしたほうを見た。そこには階段から顔をのぞかせた竜二がいた。みんなが凍りついた。竜二は、あわててかけつけた猛に、何かを耳うちをすると、すぐ消えた。

波奈も一瞬凍りついた。竜二のニヤニヤした目の奥に、闇の者のどす黒い悪意を感じた。

波奈はナンデモ研究会の三人に、心でメッセージを送った。

「闇の者が現れたわ。今日の昼休みは要注意よ！」

三人から、同時に短い返信があった。

「ＯＫ」

給食が終わり、昼休みのチャイムがなった。生徒たちは一斉に教室から出て、階段を下りた。まもなく昇降口から、生徒たちが校庭に走り出た。こんな蒸し暑い日は、外のほうがまだ気持ちがよいのだ。

波奈は教室の窓から校庭を見おろした。クスノキの根元に悟と研一が腰をおろすのが見えた。文子は教室の中にいる。机の上に本を広げて読書中。波奈は心をすませて、校舎内と校舎周辺を心の目で見渡した。

竜二が校舎の裏から出て、コブナ川沿いの道にのぼり、土手下に下りていった。土手下にも川沿いにスペースがあり、川のところどころに小さな中州もある。

昇降口では洋子が猛の腕を引っぱって、猛をひきとめていた。だが、猛は洋子をふりはらって竜二のいる方向に走っていった。

下流から、土手下の遊歩道や中州に、七人の少年と二人の少女が現れた。波奈は二人の少女を以前に見たことがあった。七人の少年は初めてだった。九人の少年少女たちは、その場に座りこみ、タバコを吸いだした。

川はばはそれほど広くないが、川底までの高低差は五メートルほどあり、学校や人家からは、遊歩道の土手下や中州は見えなかった。

波奈の心のセンサーは、会話さえ読み取れるようになっていた。七人の少年たちは七つの市の不良グループのトップだった。二人の少女は二つの市の不良少女グループをひきいていた。

九人がいるところに向かって、竜二に追いつき追いこした猛が、先に少年少女たちの前に現れた。猛がみんなに片手を上げると、九名の少年少女は腰を上げて、あいさつした。

みんなが腰をおろしたところに竜二が現れると、みんなあわてて再び立ち上がった。

全員腰をおろすと、猛もタバコを吸い出した。竜二はタバコも吸わず、ただ黙っていた。

猛がそれぞれのリーダーの報告を聞いたり、指示を出していた。

内容は飲食店へのいやがらせやシャッターの打ちこわし、他県ナンバーの車の破壊行為、ウイルス感染者の家族や医療従事者、都内への通勤者の家族へのいやがらせだった。

猛を追ってきた洋子が土手の上に現れると、状況が一変した。天気さえも。

急に冷たい風が吹き出し、空が暗くなった。

遠くから雷鳴が聞こえてきた。

洋子をどなって追い返そうとした猛を、竜二がニヤニヤ笑いながら押しとどめて、二人の少女に目配せした。二人の少女が洋子に向かって手招きした。

この緊迫した状況の中で、波奈は一瞬のうちに理解した。四人の心がつくり出す異世界が、結界であることを。そして、結界の中でこそ、秘められた力を発揮できることを。波奈は、すぐにそのことを四人に伝えた。

「もう時間がないわ。洋子のまわりに結界をつくって、洋子を守るわよ。行くわよ！」

文子、悟、研一が、心の中で叫んだ。

「ＯＫ！　ゴー！」

ナンデモ研究会の四人が、洋子のまわりに結界を張った。洋子に背を向けて、それぞれ東西南北に位置し、守りと攻撃の態勢をとった。

異世界にいる、ナンデモ研究会の四人を見ることのできるものは、竜二の邪悪な心の中にひそんでいる闇の者だけだった。

竜二も猛も、九人の少年少女たちも、もちろん洋子も、ナンデモ研究会の四人を見ることはできなかった。

二人の少女は土手を下りてきた洋子の前と後ろに、すばやく移動した。そして、洋子との間隔をせばめようとした。

だが、四人が張った結界の中には入れなかった。洋子が前に動けば、前にいる少女が下がり、洋子が後ろに下がれば、後ろの少女も下がった。二人の少女は、洋子の気迫に押されているかのような動きをした。

七人の少年たちが口々に冷やかした。

「何やってんだよ、二人して！　相手は一人だよ」

少年たちのほうを見た二人の少女の顔には、汗がうかんでいた。

急に風が冷たくなった。空は厚い雲におおわれ暗くなり、雷鳴も近くでゴロゴロなりはじめた。雨も降りはじめた。

二人の少女はこぶしをにぎると、くちびるをかみしめ、決心したように洋子に向かった。その瞬間、あたり一面が明るく照らされた。思わず目を閉じた少年たちが、再び目を開けたときに見たものは、地面に倒れている二人の少女だった。

洋子は雨にぬれ、ぼうぜんとしていた。少年たちの顔には、驚きと恐れの表情がうかんでいたが、猛のにがにがしげな表情には、なぜか、ほっとしたようすも混ざっていた。

竜二の顔から表情が消えた。雨が激しくなってきた。しきりに光り、激しい雷鳴がとどろいていた。

波奈の心の声が、ナンデモ研究会の三人に伝わった。

「竜二を見て！　闇の者が姿を現したわ」

闇の者の怒りが、どす黒さを増し、ナンデモ研究会の四人の結界を破ろうとしていた。

悟が叫んだ。

「負けないぞ！」

悟の心が輝きを増し、心の中心に光の銅たくが現れた。研一と文子の心も輝きはじめ、それぞれの神器が形づくられた。

ナンデモ研究会の結界が強く輝き、邪悪などす黒い雲が、ちぎれ、乱れはじめた。

そのとき、さらに上空で発達した積乱雲から巨大なエネルギーが地上に放たれ、その場にいた全員をおそった。波奈は強い衝撃を受け、意識がうすれていくのを感じた。


土手の上空には、深い青空が広がっていた。まぶしさで波奈は目を覚ました。起き上がってまわりを見ると、その場にいた全員が倒れていた。

波奈の目の前で、一人、また一人と立ち上がった。みんなが無言で顔を見合わせていると、土手の上から大きな声が聞こえた。

「そんなところで、何をやってんだ！」

藤山先生の大きな体が、土手の上に現れた。

九人の少年少女たちは、一斉にコブナ川の下流に向かって逃げていった。

その場に残った竜二、猛、洋子は、ずぶぬれのまま、藤山先生に連れられて校舎に向かった。

もちろん異世界にいるナンデモ研究会の四人の姿は、だれにも見えていなかった。

波奈は教室の窓から校庭を見おろした。クスノキの根元に悟と研一が腰をおろしているのが見えた。文子は教室の中にいる。机の上に本を広げて読書中だ。


ドームの中で、みどりと星野博士がにが笑いをうかべていた。

「竜二から闇の者も去ったし、猛も少しはこたえただろう。洋子という子も、むぼうなほどの正義感を持っているのお」

「しかし、龍神藤山氏には驚かされましたなぁ」

「そうね。けっきょく守りましたね。自然の巨大なエネルギーから全員を。はかりしれないほど大きな愛ですね」

「そうじゃ。闇の者さえ守りおったわい」

スクリーンから目をそらし、みどりはドーム中央のヒスイに歩み寄った。

みどりは目を閉じ、ヒスイに手をふれた。

みどりの心は時空を超えて打ち寄せつづける銀河の波をとらえた。

とぎれることのない銀河の波は、光と闇をともない、絶えることなく打ち寄せていた。

参考文献

松本清張『万葉翡翠』（『駅路』傑作短編集（六）に掲載、新潮文庫、１９６５）

〈著者紹介〉
守門和夫（すもん・かずお）
1950年新潟県生まれ。埼玉県公立小・中学校長等歴任。

ヒスイ継承（けいしょう）

2024年3月6日　第1刷発行

著　者　　守門和夫
発行人　　久保田貴幸

発行元　　株式会社 幻冬舎メディアコンサルティング
〒151-0051　東京都渋谷区千駄ヶ谷4-9-7
電話　03-5411-6440（編集）

発売元　　株式会社 幻冬舎
〒151-0051　東京都渋谷区千駄ヶ谷4-9-7
電話　03-5411-6222（営業）

印刷・製本　中央精版印刷株式会社
装　丁　　野口萌

検印廃止

Printed in Japan
ISBN 978-4-344-69024-0 C0093
幻冬舎メディアコンサルティングＨＰ
https://www.gentosha-mc.com/